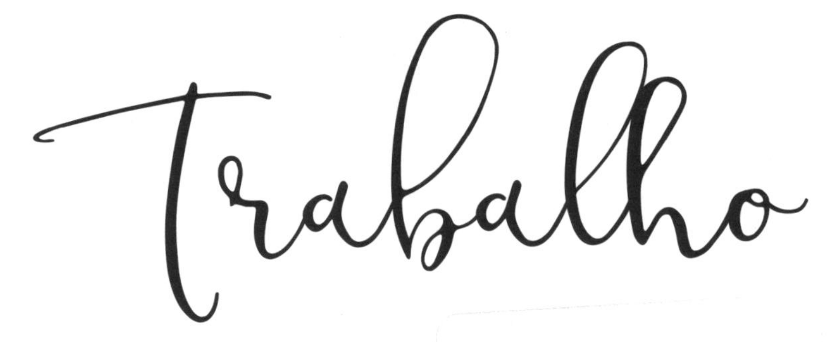
Trabalho

Dados Internacionais de Catalogação na Publicação (CIP)
(Câmara Brasileira do Livro, SP, Brasil)

Hanh, Thich Nhat
Trabalho : a arte de viver e trabalhar em plena consciência / Thich Nhat Hanh ; tradução de Marcia Epstein Fiker. – Petrópolis, RJ : Vozes, 2017.

Título original : Work : how to find joy and meaning in each hour of the day

ISBN 978-85-326-5393-2

1. Consciência 2. Felicidade 3. Trabalho – Aspectos religiosos – Budismo I. Fiker, Marcia Epstein II.Título.

16-00104 CDD-294.3444

Índices para catálogo sistemático:

1. Felicidade no trabalho : Ensinamentos budistas 294.3444

A arte de viver e trabalhar em plena consciência

Thich Nhat Hanh

Tradução de Marcia Epstein Fiker

Petrópolis

Título original em inglês: *Work – How to Find Joy and Meaning in Each Hour of the Day*
Direitos de publicação em língua portuguesa – Brasil:
2017, Editora Vozes Ltda.
Rua Frei Luís, 100
25689-900 Petrópolis, RJ
www.vozes.com.br
Brasil

Editoração: Flávia Peixoto
Diagramação: Sheilandre Desenv. Gráfico
Revisão gráfica: Fernando Sergio Olivetti da Rocha
Capa: Bruno Margiotta

ISBN 978-85-326-5393-2 (Brasil)
ISBN 978-1-937006-20-4 (Estados Unidos)

Editado conforme o novo acordo ortográfico.

Este livro foi composto e impresso pela Editora Vozes Ltda.

Sumário

1 A arte de viver e trabalhar com plena consciência, 9
A energia da plena consciência, 10
O lar e o trabalho estão vinculados, 13

2 Começando o dia, 17
Acordando, 17
Determinando a sua intenção, 17
Vestindo-se, 19
Escovando os dentes, 21
Café da manhã, 21
As cinco contemplações, 23
Saindo de casa, 24
Chegando ao trabalho, 26

3 Plena consciência no trabalho, 29
Respiração plenamente consciente, 31
Espaço para respirar, 34
Um sino de plena consciência, 34
Sentando-se, 35
Sentando apenas para ficar sentado, 36
Caminhando com plena consciência, 38
Praticando a meditação andando, 40
Comendo no trabalho, 42

Meditação no banheiro, 45
Atendendo ao telefone, 45
Liberando a tensão, 46
Relaxamento total, 48
Encontrando um lar no trabalho, 52
A ilha do self, 53
Lidando com emoções fortes no trabalho, 55
Meditação andando e emoções fortes, 56
Lidando com a raiva, 57
Restaurando a boa comunicação no trabalho, 59
Praticando o tratado de paz, 61
Tratado de paz, 62
Encarando a tempestade, 65
Os seus pensamentos, falas e ações carregam a sua assinatura, 67
Discurso amoroso, 68
Escuta profunda, 70
Reuniões com plena consciência, 72
Meditação antes de uma reunião, 73

4 Indo para casa, 75
Eu cheguei, estou em casa, 75
Voltando para casa e para nós mesmos, 76
Estar presente, 78
Espaço para respirar, 80
Sentando juntos, 80
Tarefas domésticas, 81

5 Uma nova maneira de trabalhar, 85
Os três poderes, 87
O primeiro poder: compreensão, 87
O segundo poder: amor, 88

O terceiro poder: abrir mão, 89
Os três poderes no mundo dos negócios, 90
Equilibrando felicidade e lucro: quatro modelos de negócio, 92
Uma nova ética de trabalho, 93
Praticando os cinco treinamentos de plena consciência, 95
Os cinco treinamentos de plena consciência, 96
Nós temos o suficiente, 102
Três métodos para fomentar felicidade, 103
Sustento Correto, 105
A dimensão espiritual do trabalho, 107
Corresponsabilidade, 109
Um despertar coletivo, 111
Criando uma comunidade no trabalho, 113
Todos precisam de uma Sangha, 114

6 Maneiras de reduzir o estresse no trabalho, 117

1
A arte de viver e trabalhar com plena consciência

A maneira como vivemos as nossas vidas e conquistamos o nosso sustento é fundamental para a nossa alegria e felicidade. Quase metade das nossas vidas se passa no trabalho, mas como é que usamos esse tempo? O trabalho que realizamos é uma expressão de todo o nosso ser. O trabalho pode ser uma forma maravilhosa de expressar as nossas aspirações mais profundas, e pode ser fonte de muita saúde, paz, alegria, transformação e cura. Por outro lado, o trabalho que fazemos e a forma como fazemos também podem causar muito sofrimento. O que fazemos com as nossas vidas, e se o fazemos com plena consciência ou não, determinam quanta paz e alegria nós criamos. Se trouxermos a nossa atenção para cada momento, se praticarmos a plena consciência em tudo o que fazemos, o trabalho pode nos ajudar a alcançar o ideal de viver em harmonia com os outros e de cultivar compreensão e compaixão.

Atualmente não é fácil encontrar um emprego. Sabemos, no entanto, que o nosso bem-estar não depende apenas de uma fonte de renda, mas também de um emprego no qual possamos cultivar alegria e felicidade, um emprego que não seja prejudicial aos humanos, aos animais, às plantas ou à terra. Idealmente, somos capazes de encontrar um emprego e trabalhar de forma que a nossa ocupação sirva de benefício ao planeta e a todas as criaturas vivas.

Qualquer que seja a sua ocupação, há muito que você pode fazer para ajudar aos outros e criar um ambiente de trabalho feliz, um lugar onde você possa trabalhar com alegria e harmonia, sem estresse e tensão. As práticas de respiração consciente, sentar com consciência, comer com consciência e caminhar com consciência podem contribuir, juntas, para um ambiente positivo e livre de estresse no trabalho. Aprender a arte de parar, liberar tensão, usar o discurso amoroso e a escuta profunda, compartilhando essa prática com outros, pode ter um impacto imenso no prazer que temos ao trabalhar e na cultura da nossa empresa. Quando sabemos cuidar de nossas emoções fortes e criar bons relacionamentos no trabalho, a comunicação melhora, o estresse é reduzido e o trabalho se torna muito mais agradável. Esse é um benefício imenso não apenas para nós mesmos, mas também para aqueles com quem trabalhamos, aqueles a quem amamos, as nossas famílias e a sociedade como um todo.

A energia da plena consciência

A plena consciência (*mindfulness*) consiste no ato de trazer a atenção completa para aquilo que está acontecendo no momento presente. Trazemos a mente de volta para o corpo, e voltamos para o nosso lar no momento presente. Começa com a atenção consciente da nossa respiração: a inspiração e a expiração. A plena consciência é a energia que nos ajuda a estar completamente presentes, a viver a vida no aqui e agora. Cada um de nós é capaz de gerar a energia da plena consciência. Quando você inspira e expira, concentrando-se no ar que entra e sai de seu corpo, está praticando a respiração consciente. Quando você toma um copo de água ou uma xícara de chá, focando toda a sua atenção na bebida e esquecendo-se de todo o resto, isso é chamado de beber com consciência. Quando você caminha e foca a atenção em seu corpo, sua respiração, nos seus pés e nos passos que dá, isso é chamado de caminhada consciente.

Trazendo a atenção primeiro para a respiração, somos capazes de unir o corpo e a mente e chegar por inteiro ao momento presente. A partir desse ponto podemos ficar mais cientes de tudo o que está acontecendo no momento presente com uma nova perspectiva, sem nos distrairmos com o passado ou nos deixarmos levar por preocupações sobre o futuro. Você sabe que o futuro é apenas uma noção. O futuro é feito somente de uma substância: o momento presente. Se você cuidar bem do presente, não há por que se preocupar com o futuro. Ao cuidar bem do presente, você está fazendo tudo o que pode para garantir um bom futuro. Deveríamos viver no momento presente de tal maneira que paz e alegria sejam possíveis no aqui e agora – de tal maneira que amor e compreensão sejam possíveis. Esse é o melhor que podemos fazer pelo futuro.

Qualquer ação cotidiana comum pode ser transformada em um ato de plena consciência: escovar os dentes, lavar a louça, caminhar, comer, beber e trabalhar. E é claro que plena consciência não se aplica apenas às coisas positivas. Quando a alegria se manifesta, praticamos a plena consciência da alegria. Mas quando a raiva se manifesta, praticamos a plena consciência da raiva. Quando qualquer emoção forte surgir, se aprendermos a praticar a plena consciência daquela emoção, reconhecendo a emoção sem tentar suprimi-la ou agir com base nela, então a transformação ocorre e somos capazes de encontrar mais alegria, paz e atenção.

Talvez você pense que não tem tempo para praticar plena consciência, que o seu dia de trabalho é muito cheio e você é ocupado demais para a prática da consciência. Talvez você ache que plena consciência seja algo que só pode praticar quando tiver tempo, como durante férias, ou em meio à natureza. Mas nós podemos praticar plena consciência em qualquer lugar, a qualquer momento – em casa ou no trabalho, mesmo nos dias mais corridos. Não é necessário muito tempo para praticar. Algumas respirações já bastam para gerar a energia da plena consciência e nos trazer de volta ao momento presente.

Nós podemos praticar o dia todo e sentir os benefícios da prática imediatamente. Sentados no ônibus, dirigindo o carro, tomando um banho, preparando o café da manhã – podemos ter prazer ao fazer todas essas coisas. Não podemos dizer "Eu não tenho tempo para praticar". Não. Nós temos bastante tempo. É muito importante se dar conta disso. Quando pratica a plena consciência e gera paz e alegria, você se torna um instrumento de paz, trazendo paz e alegria para si mesmo e para os outros.

Quando voltamos para o nosso lar no momento presente e abrimos mão dos pensamentos sobre o passado ou o futuro, isso é chamado de parar. Nós praticamos essa parada para ficarmos presentes, para nós mesmos e o mundo ao nosso redor. Quando aprendemos a parar, começamos a ver, e quando vemos, nós entendemos. Desta maneira, podemos produzir compreensão, compaixão, paz e felicidade. Para ficarmos inteiramente presentes em nosso trabalho, com nossos colegas, amigos e familiares, precisamos aprender a arte de parar. Enquanto não paramos para perceber o que está acontecendo no momento presente, não podemos produzir alegria, atenção ou compaixão.

Eu conheço um homem que toma bastante cuidado para caminhar com consciência entre as suas reuniões de negócios. Ele caminha com plena consciência, ciente de sua inspiração e expiração, enquanto percorre o trajeto entre prédios comerciais no centro de Denver. Outros pedestres sorriem para ele, que parece tão calmo em meio às pessoas apressadas. Ele diz que as reuniões, mesmo com pessoas difíceis, têm se tornado muito mais fáceis e agradáveis desde que começou essa prática.

O lar e o trabalho estão vinculados

A forma como você se prepara para trabalhar, vai para o trabalho e age enquanto está trabalhando afeta não apenas quem trabalha com você, mas também a própria qualidade do seu trabalho. Tudo o que fazemos em nossas vidas produz um efeito sobre o nosso trabalho. Eu, pessoalmente, sou um poeta, mas adoro trabalhar no jardim plantando vegetais. Certo dia um acadêmico americano me disse: "Não desperdice o seu tempo no jardim plantando alface. Você deveria escrever mais poemas em vez disso. Qualquer um pode plantar alface". O meu jeito de pensar é diferente. Eu sei muito bem que, se não plantar alface, não vou conseguir escrever poemas. Os dois estão vinculados. Tomar o café da manhã com plena consciência, lavar a louça e plantar alface com plena consciência são essenciais para que eu seja capaz e escrever poesia bem. A forma como alguém lava a louça revela a qualidade de sua poesia. Da mesma forma, quanto mais atenção e plena consciência trouxermos para todas as nossas ações cotidianas, incluindo o trabalho, melhor será a qualidade do nosso trabalho.

Nossa vida pessoal não está separada da vida profissional. A incapacidade de agir com plena consciência, de trazer toda a nossa atenção para o que estamos fazendo em nossas vidas cotidianas, traz custos tanto pessoais como profissionais. Para compreender o que está acontecendo conosco no trabalho, precisamos olhar para a nossa vida em casa e para as nossas famílias.

A prática da plena consciência ajuda a construir um sistema imunológico forte para a nossa família. Quando um vírus penetra o corpo de um organismo, este torna-se ciente de que foi invadido e produz anticorpos para resistir ao invasor. O sistema imunológico é um agente protetor. Se não houver anticorpos suficientes para combater o vírus, o sistema imunológico logo produz mais para enfrentar a invasão e se manter saudável. Assim, podemos dizer que o sistema imunológico reflete a plena consciência do corpo. Da mesma forma, quanto mais plena consciência produzimos mais nos tornamos capazes de nos proteger.

Uma família é um organismo que tem a capacidade de se proteger e curar. Imagine que o seu filho está sofrendo. Se ele não sentir que está recebendo atenção suficiente, ou que não está sendo ouvido, vai tentar lidar com os seus problemas sozinho. Mas é comum crianças não saberem lidar com sofrimento, elas podem tentar ignorá-lo, escondê-lo ou disfarçá-lo por trás de comportamentos pouco saudáveis. Sofrimento não resolvido pode afetar a família inteira. Se uma criança não está feliz, os pais ou irmãos também não conseguem ser felizes. Se nós pudermos dar atenção plenamente consciente para o sofrimento do nosso filho, reconhecendo-o com atenção, isso o ajudará a resolver os seus problemas e a curar sua dor, o que beneficiará a família inteira.

Tomar consciência do sofrimento e encontrar maneiras para ajudar a aliviá-lo em nosso lar fazem com que sejamos mais capazes de compreender e lidar com as situações difíceis que surgem no trabalho, especialmente para quem tem uma profissão muito estressante. Precisamos saber como lidar com o nosso próprio sofrimento para conseguirmos compreender os outros. O nosso ambiente de trabalho também é como um organismo vivo. Se levarmos o estresse do lar para o nosso trabalho, esse estresse pode agir como uma infecção. Da mesma forma, se levarmos plena consciência do lar para o trabalho, a nossa presença plenamente consciente pode transformar o ambiente de trabalho em um lugar mais saudável e feliz para todos.

Às vezes podemos questionar se sabemos como produzir uma sensação de alegria, ou se sabemos como relaxar e desfrutar do nosso almoço, ou se respiramos antes de atender ao telefone ou de entrar em uma reunião difícil. Esses questionamentos são muito práticos e muito importantes. A maneira como nos vestimos, escovamos os dentes ou tomamos o café da manhã também é importante. Se praticarmos a plena consciência nessas pequenas ações cotidianas saberemos como aproveitar o nosso dia, abrir mão da tensão no trabalho e reduzir o estresse. A prática da atenção plena pode nos ajudar a cultivar mais atenção e alegria em nossas vidas e no trabalho.

2
Começando o dia

Acordando

Quando acordamos pela manhã, a primeira coisa que podemos fazer é perceber o presente que a vida está nos oferecendo. Nós temos um presente de vinte e quatro horas. Podemos perceber que estamos acordados, perceber a nossa respiração, perceber o Sol e o céu lá fora, e perceber que estamos vivos. Podemos sentir gratidão por isso. Podemos dizer a nós mesmos:

> Ao acordar, eu vejo o céu azul.
> Junto as minhas palmas em gratidão.

Sentir gratidão pelo que já temos, perceber que temos condições mais do que suficientes para a felicidade no momento presente, é muito importante. É bom começar o dia com esse tipo de percepção.

Determinando a sua intenção

Ao levantar, em vez de se arrumar às pressas para o trabalho, você pode pensar sobre como quer viver o dia. Usar um pouco de tempo para esclarecer as suas aspirações e intenções para o dia vai ajudá-lo a se manter aberto ao que estiver acontecendo, e a lembrar que este é um dia completamente novo, um novo começo, e que você pode escolher vivê-lo com plena consciência e compaixão.

Todos precisamos olhar para dentro para identificar os nossos mais profundos desejos e aspirações. O nosso desejo mais profundo é uma fonte de sustento que nos dá incentivo e energia para viver. Se o nosso desejo mais profundo for trazer alegria ao mundo, ajudar as pessoas a sofrerem menos, ajudá-las a transformar o seu sofrimento e trazer paz às suas vidas, então este é um tipo de sustento saudável que vai nos dar muita energia. Se o nosso desejo mais profundo for buscar vingança, matar ou destruir, então isso será um veneno e irá nos causar muito sofrimento, e a outros também.

Você pode expressar a sua aspiração com um gatha matinal. O gatha é um breve poema recitado em combinação com a respiração plenamente consciente e serve para aprofundar a sua consciência. O gatha exposto a seguir pode ajudá-lo a fortalecer a sua determinação de viver o dia com plena consciência.

> Ao acordar nesta manhã, eu sorrio.
> 24h completamente novas estão diante de mim.
> Eu me comprometo a viver cada momento plenamente
> E a olhar para todos os seres com olhos compassivos.

Nós temos 24h completamente novas à nossa frente. A vida bate à nossa porta. Podemos viver essas 24h plenamente, em plena consciência, atentos. Este é um presente imenso e muito precioso dado pela vida: um novo dia. Eu me comprometo a vivê-lo com plena consciência. Não vou desperdiçar esse dia. Não vou estragá-lo. Eu saberei fazer bom uso dele, seja em casa ou no trabalho. Não importa onde eu esteja ou o que esteja fazendo, saberei como desfrutar deste dia, usando toda a minha sabedoria e habilidade.

Recitar gathas é uma maneira de nos ajudar a existir no momento presente e a ficar profundamente cientes da ação com a qual estamos engajados. Quando focamos as nossas mentes em um gatha, voltamos a nós mesmos e nos tornamos mais cientes do que estamos fazendo.

Utilizados como exercícios tanto na meditação como na poesia, os gathas são uma parte-chave da tradição Zen. Quando você memoriza um gatha, ele surgirá em sua mente com naturalidade no momento de fazer a atividade relacionada. Você pode imprimir esses poemas e deixá-los à vista para quando acorda pela manhã, ou pelo decorrer do dia. Ou então pode carregá-los consigo, escritos num pequeno pedaço de papel que possa ser lido a qualquer momento. Ao tomar uma xícara de chá no começo da manhã, talvez você queira recitar:

Sentado pacificamente, sorrio.
O novo dia começa.
Eu me comprometo a viver com profundidade,
com plena consciência.

Vestindo-se

O momento de se vestir é outra oportunidade de prática para passar o dia em plena consciência, e mudar a forma como costumamos encarar a nossa tumultuada rotina profissional. É comum nos vestirmos sem pensar no que estamos fazendo. É o piloto automático. Quando eu era um monge novato, aprendi a recitar este gatha toda vez que vestia o meu robe de monge, para me ajudar a ficar mais atento às minhas ações.

> Vestindo o robe de monge,
> O meu coração está em paz
> Eu levo uma vida de liberdade,
> Trazendo alegria para o mundo.

Você também pode usar o momento de se vestir como uma oportunidade para lembrar das suas aspirações – as suas boas intenções para o dia – recitando um gatha. Eu compus a seguinte versão do gatha acima, que funciona bem com qualquer tipo de roupa, e não apenas as vestes de monge:

> Vestindo essa roupa
> Eu sou grato por aqueles que a fizeram
> E pelos materiais com os quais ela foi feita
> Eu gostaria que todos pudessem ter roupas o bastante.

Mesmo que você não seja um monge ou monja e não use robes, talvez queira pensar nas suas vestes como o robe de um bodhisattva. Um bodhisattva (sânscrito) é um ser desperto, ou iluminado. Um bodhisattva é alguém que tem felicidade, paz, despertar, compreensão e amor. Qualquer ser vivo que tenha essas qualidades pode ser chamado de bodhisattva. Nós podemos usar o ritual matinal de se vestir para lembrar da aspiração de viver cada momento de nossa vida cotidiana como um bodhisattva: com paz, amor, gratidão, compreensão, atenção e liberdade.

Escovando os dentes

Quanto tempo você passa escovando os dentes? Pelo menos um minuto, talvez dois? Você tem esses dois minutos para escovar os seus dentes de tal forma que liberdade e alegria se tornem possíveis, sem se deixar levar por preocupações sobre o que você vai fazer quando terminar. Preste atenção ao que está fazendo enquanto escova os dentes. Por exemplo, você pode dizer: "Eu estou parado aqui, escovando os dentes. Tenho pasta de dentes, uma escova dental. Estou feliz por ainda ter dentes para escovar. A minha prática é de estar vivo, ser livre e ter prazer ao escovar os dentes". Não se permita ser capturado pelo passado ou levado por preocupações acerca do futuro. Não tenha pressa. Você pode ter prazer ao escovar os dentes. Essa prática é a prática da liberdade. Se a liberdade estiver presente, escovar os dentes será muito agradável.

Enquanto você escova os dentes, talvez queira recitar o seguinte gatha para lembrar do seu desejo de usar o discurso amoroso e cultivar boa comunicação com outros no decorrer do dia:

> Escovando os dentes e enxaguando a boca,
> Eu me comprometo a falar com pureza e amor.
> Quando a minha boca está perfumada pelo discurso correto,
> Uma flor desabrocha no jardim do meu coração.

Café da manhã

Muitas pessoas têm pressa pela manhã e ficam sem tempo para fazer o desjejum. Elas pegam algo para comer no caminho do trabalho, e comem no carro, ou no trem, ou em sua mesa quando chegam no escritório. Mas o café da manhã não se trata apenas de prover alimento para o seu corpo – é uma chance de apreciar a comida, de cuidar de si mesmo, e de praticar o cultivo de gratidão e atenção. Quando você usa o seu tempo em casa para preparar o café da manhã, essa hora de preparar o desjejum se torna uma hora para praticar. Você faz tudo o que normalmente faria, mas inspira e expira com plena consciência enquanto o faz, focando na sua respiração e percebendo o ar entrar e sair do corpo. Quando você faz essa prática na cozinha, a sua cozinha se torna um espaço de meditação.

No café da manhã, mesmo que seja só um lanche pequeno no começo do dia, coma de tal forma que seja possível ter liberdade. Você pode mastigar cada pedaço do seu desjejum com plena consciência, com alegria e liberdade. Enquanto come, não pense no que terá de fazer a seguir, ou em todas as coisas que tem de fazer no dia. A sua prática é apenas estar presente para o seu café da manhã. O seu café da manhã está presente para você; e você precisa estar presente para ele. Dessa forma, poderá tocar profundamente aquilo que está bem na sua frente. À sua frente está a consciência que você tem de si mesmo, e do fato que você ainda está vivo. À sua frente está o café da manhã, um presente da terra e do céu. À sua frente também podem estar amigos ou familiares, desfrutando o desjejum junto com você.

Quando eu seguro uma fatia de pão, gosto de olhar para a fatia e sorrir. O pedaço de pão é um embaixador do cosmos, oferecendo nutrição e sustento. Olhando profundamente para o pedaço de pão, eu vejo a luz do Sol, as nuvens e a Mãe Terra.

Sem a luz do Sol, sem água, sem solo, o trigo não pode crescer. Sem as nuvens, não haveria chuva para as plantações de trigo. Sem a Mãe Terra sustentando toda a vida, nada poderia crescer em lugar algum. É isso que transforma a fatia de pão que seguro em uma verdadeira maravilha da vida. E ela está presente para nós, então também precisamos estar presentes para ela. Alimente-se com gratidão. Quando você colocar um pedaço de pão na boca, mastigue apenas o pão, e não os seus projetos, preocupações, medos ou raiva. Essa é a prática de plena consciência. Você mastiga com plena consciência e sabe que está mastigando o pão, a maravilhosa nutrição da vida. Isso lhe trará liberdade e alegria. Coma cada pedaço de seu café da manhã dessa maneira, sem se permitir ser afastado da experiência de se alimentar.

Na Plum Village, o centro de prática e meditação no sudoeste da França, onde eu vivo, nós esperamos um instante antes de comer para contemplar a comida. Mesmo se tivermos muito pouco tempo para comer, separar um momento para primeiro contemplar a comida torna a sua ingestão muito mais agradável. Aqui estão as cinco contemplações que usamos, caso você deseje mantê-las perto da mesa e usá-las também.

As cinco contemplações

1) Essa comida é um presente do universo inteiro, da Terra, do céu, de inúmeros seres vivos e de muito trabalho duro e amoroso.

2) Que possamos comer com plena consciência e gratidão, de forma a merecer essa comida.

3) Que possamos reconhecer e transformar construtos mentais insalubres, especialmente a nossa ganância, e aprender a comer em moderação.

4) Que possamos manter a nossa compaixão viva comendo de maneira que reduza o sofrimento de seres vivos, preserve o nosso planeta, e reverta os efeitos do aquecimento global.

5) Nós aceitamos essa comida para que possamos nutrir os nossos irmãos e irmãs, construir a nossa Sangha e fomentar o nosso ideal de servir a todos os seres vivos.

Saindo de casa

Quando você sai de manhã para trabalhar, tem uma oportunidade maravilhosa de se tornar ciente de todo o mundo ao seu redor. Você abre a porta e sai no ar fresco. Aqui está a sua chance de entrar em contato com a terra, o ar e o céu. O seu primeiro passo porta afora já pode ser um passo dado em liberdade. Você não precisa ir a um espaço de meditação para entrar naquele mundo. Cada passo na Terra pode nos trazer muita felicidade, paz e liberdade.

O mesmo vale para a nossa respiração. Se soubermos como respirar com plena consciência, atentos para a inspiração e a expiração, toda respiração se torna uma fonte de felicidade.

Pessoas que têm asma ou dificuldade para respirar compreendem como é precioso o presente de ser capaz de inspirar e expirar com facilidade. Se você puder respirar com facilidade, aprecie cada respiração. Não desperdice um instante sequer. Cada respiração traz felicidade; cada passo traz liberdade. Quando caminhamos e respiramos dessa forma, não nos sentimos prisioneiros de nossa rotina, ou de nosso trabalho. Em vez disso, sentimos liberdade e gratidão por nossas vidas.

Nos *Contos Jataka*, uma das compilações mais antigas de literatura budista, podemos ler sobre as vidas anteriores do Buda. Nessas histórias, o Buda aparece em diferentes manifestações, às vezes como cervo, macaco, pedra e até uma árvore mangueira. Em cada uma dessas manifestações, sendo animal, planta ou mineral, podemos ver um bodhisattva, um ser de grande compaixão. Quando saímos de casa e damos os primeiros passos na terra, mesmo que ela esteja coberta por concreto, ainda podemos ver e sentir a natureza ao nosso redor, e podemos reconhecer que a natureza também é um bodhisattva. Quando olhamos com atenção para uma árvore, podemos ver que ela nos oferece a sua beleza, e que nutre e sustenta a vida. Suas folhas ajudam a limpar o ar que respiramos, e os galhos fornecem um refúgio seguro para muitos pássaros. Bodhisattvas estão em toda a parte – o nosso Planeta Terra inteiro é um bodhisattva. Ele nos carrega com muita firmeza. É muito paciente, e não discrimina. Não importa o que for que jogamos na terra, ela acolhe e aceita aquilo sem discriminação, podemos jogar flores cheirosas ou óleos perfumados, podemos jogar urina, excrementos ou outras substâncias impuras, ela absorve e transforma todas essas coisas.

Ela tem uma capacidade imensa de ser paciente e perdurar. A terra oferece tanto que ela nos nutre e sustenta toda a vida. Ela nos dá água, ar e alimento. É uma verdadeira bodhisattva. Cada vez que saímos de casa, mesmo se for apenas para chegar ao carro e dirigir até o trabalho, podemos tomar um tempo para perceber que a grande bodhisattva terra está ao nosso redor, nutrindo e sustentando cada um de nós.

Chegando ao trabalho

Talvez você consiga passar a manhã de forma agradável, relaxada e plenamente consciente, mas assim que começa o trajeto para o trabalho, tudo muda! Isso é muito fácil de acontecer se você dirige na hora do *rush*. Mas se você for de trem ou de ônibus, terá a maravilhosa oportunidade de apenas ficar sentado e atentar para a sua inspiração e expiração. Pode até mesmo fechar os olhos ou olhar para baixo, se isso ajudá-lo a focar na respiração.

Se você dirige até o trabalho, separe um tempo ao entrar no carro, antes de colocar a chave no contato, para lembrar da sua intenção de permanecer calmo, relaxado e plenamente consciente enquanto dirige, sem estresse ou pressa.

Antes de ligar o carro,
Eu sei para onde estou indo.
O carro e eu somos um.
Se o carro for rápido, eu vou rápido.

Essa atenção pode ajudá-lo a apreciar a viagem inteira. Use cada farol vermelho ou placa de pare como uma oportunidade para respirar com plena consciência e retornar ao momento presente. Talvez você tenha o hábito de pensar no farol vermelho como um inimigo, que o impede de conquistar seu objetivo de chegar no trabalho a tempo. Mas o farol vermelho é de fato um amigo, que o ajuda a resistir à vontade de se apressar, e o chama de volta para o aqui e agora.

Na próxima vez em que estiver preso no trânsito, seja na estrada ou no meio da cidade, não fique irritado. Apenas aceite a situação. Ficar irritado é inútil. Acomode-se no banco e sorria para si mesmo. Saiba que você está vivo e que o momento presente é o único momento da vida que você tem. Não o desperdice. Saiba que este momento tem o potencial de ser um momento maravilhoso.

Quando você vai e volta do trabalho dessa maneira, sem pensar em chegar logo, ou no que vai fazer quando chegar, é possível desfrutar de cada momento do percurso. Antes de chegar no trabalho e começar a aula do dia, eu não me preocupo com quais perguntas as pessoas podem me fazer, ou que respostas eu poderei dar. Eu aproveito cada passo e cada respiração, e vivo profundamente cada instante da minha caminhada. Ao chegar, eu me sinto renovado e preparado para oferecer respostas a qualquer pergunta que possam me fazer.

Quando você chegar ao trabalho depois de ter praticado plena consciência em casa e no caminho, vai se sentir muito diferente de como se sentia antes – mais feliz e relaxado. Talvez você perceba que passou a pensar sobre o trabalho e os seus colegas de outro jeito, e encontre fontes inesperadas de satisfação e alegria.

3
Plena consciência no trabalho

Nós estamos habituados a distinguir a "hora de trabalho" do "tempo livre". Mas esse jeito de pensar reduz a nossa alegria e o nosso sucesso no trabalho. É possível trabalharmos de maneira a perceber que temos muitas escolhas quanto ao que fazemos, e como o fazemos. Podemos trabalhar de tal forma que seja possível encontrar oportunidades para alegria, sem acabarmos presos ao hábito de sofrer com a pressão ou o estresse. Quando praticamos a plena consciência, podemos praticar ter prazer ao trabalhar, digitar, planejar, organizar, conduzir reuniões, lidar com clientes, ou qualquer outra atividade envolvida no que costumamos chamar de "expediente". Se nos dedicarmos de corpo e alma a tudo o que fazemos, liberdade e alegria tornam-se possíveis.

Nós passamos tanto tempo no trabalho; é importante garantir que esse tempo seja desfrutado. Qualquer emprego pode ser agradável se o trabalho for feito com o estado de espírito correto, plena consciência, atenção e com a meta de ajudar os seres vivos. Podemos trabalhar em uma fábrica, restaurante ou escritório, podemos estar ou não em uma profissão dedicada a ajudar os outros, mas se praticarmos a plena consciência, o nosso emprego pode ser agradável e trazer grandes benefícios para nós mesmos e para outros.

Nós temos a tendência de apressar as coisas, e tentar terminar o que estamos fazendo com rapidez. Isso se tornou um hábito. Com a plena consciência da respiração, você pode reconhecer esse hábito. A plena consciência o ajuda a parar e a não se deixar ser levado pelo hábito da pressa. Se soubermos como viver cada momento de nossas vidas cotidianas, não vamos nos tornar vítimas do estresse. Enquanto fazemos o desjejum, lavamos a louça e vamos ao trabalho, nós apreciamos fazer o desjejum, lavar a louça e ir ao trabalho.

A hora de trabalhar pode nos trazer prazer se lidarmos com ela da maneira apropriada. Existe uma maneira de não sentir pressão, e de realmente gostar do trabalho que fazemos. Na Plum Village, nós fazemos muitas coisas: recebemos visitantes no decorrer do ano e oferecemos inúmeros retiros, aqui mesmo e também em muitos outros países ao redor do mundo. Assim como ocorre em muitos ramos de trabalho, também queremos ser bem-sucedidos no que fazemos. Mas nós aprendemos a trabalhar de forma a não nos tornarmos vítimas da pressão ou do estresse. Gostamos de cuidar do jardim, fazer faxina, cozinhar e lavar a louça – e consideramos essas atividades tão importantes quanto qualquer outro tipo de trabalho. Ao nos dedicarmos de corpo e alma a tudo o que fazemos, agimos de tal maneira que liberdade, alegria e fraternidade sejam possíveis a todo instante.

Respiração plenamente consciente

A respiração plenamente consciente – atentar para a inspiração, a expiração e acompanhar o ritmo do ar entrando e saindo do corpo – traz uma sensação de paz e harmonia. Nós desfrutamos dessa energia de paz e harmonia que vem da respiração. Podemos estar deitados, sentados ou em pé; o estresse, o conflito e a tensão no corpo e na mente são liberados lentamente pela prática de respiração plenamente consciente.

Todos nós gostaríamos de ter tempo para sentar e apreciar a quietude que vem de não fazer nada. Mas se tivéssemos tempo para isso, será que seríamos mesmo capazes de ficar sentados e apreciar a quietude? Muitos temos esse problema. Reclamamos que não temos tempo para descansar, para apreciar simplesmente e o estar vivo, mas isso acontece porque nos acostumamos a estar sempre fazendo algo. Não temos a capacidade de descansar e ficar sem fazer nada. Mesmo se tivermos um raro momento de quietude em nosso escritório, falamos ao telefone ou navegamos na internet. Nós somos *workaholics*. Sempre precisamos estar fazendo algo.

Se você puder encontrar um tempo para sentar, onde quer que esteja, sente-se e encontre prazer em não fazer nada. Apenas aprecie a inspiração e a expiração. Claro que você não precisa estar sentado para praticar a respiração plenamente consciente. Pode estar na fila para tirar a cópia de algum documento no trabalho, ou esperando para conversar com um colega. Talvez você esteja no almoço, ou esperando para pegar uma xícara de chá ou café. Você pode praticar a respiração plenamente consciente em qualquer lugar, e focar em sentir prazer consigo mesmo e com a presença das pessoas ao seu redor.

Quando você inspira, se focar toda a sua atenção na inspiração, você se torna a sua inspiração. Quando você está plenamente consciente da sua inspiração e se concentra nela, você e a sua inspiração se tornam um. Não pense que isso é algo difícil ou cansativo de se fazer. Respirar pode ser muito prazeroso. Quando você inspira, pode apreciar o fato de que ainda está vivo. A respiração é a essência da vida; sem ela, você não passaria de um cadáver. Tornar-se ciente da sua vitalidade por meio da respiração pode trazer uma alegria imensa. Ao se acostumar com a prática, essa consciência estará presente sempre que você respirar. Não é necessário forçar a respiração. Você deve se permitir respirar naturalmente. Não tente forçar a sua inspiração. Apenas deixe que ela ocorra naturalmente – seja curta ou longa, rápida ou lenta, profunda ou superficial. Apenas fique ciente dela. Ao respirar, você pode dizer a si mesmo:

> Ao inspirar, estou ciente da minha inspiração.
> Ao expirar, estou ciente da minha expiração.
> Ao inspirar, estou ciente do meu corpo.
> Ao expirar, eu libero a tensão em meu corpo.

Não interfira com a sua respiração. Apenas fique ciente dela e acompanhe todo o processo de inspiração e expiração. Ao prestar atenção na respiração, você interrompe o pensamento com naturalidade. Interromper os seus pensamentos é muito útil. Focar na respiração pode ajudá-lo a parar de se preocupar com os problemas do passado, ou com a incerteza do futuro. Se você passa o tempo todo envolto pelos seus pensamentos, acaba ficando cansado e incapaz de estar totalmente presente. Não pense nos seus projetos – os seus problemas não serão resolvidos pelo pensamento. A nossa prática é de não pensamento. Esse é o segredo para o sucesso. Não tente encontrar soluções com a sua mente pensante. Você apenas planta uma semente e deixa que ela cresça sozinha. A solução virá quando estiver pronta para ser colhida. O tempo que passa fora do trabalho pode ser muito produtivo se você souber como focar no momento presente. Se você souber fazer isso, não se tornará uma vítima da ansiedade ou do estresse, e tampouco sofrerá de depressão.

Você pode interromper a sua linha de raciocínio com bastante naturalidade se focar toda a sua atenção na inspiração e na expiração. Com apenas algumas inspirações e expirações a qualidade da sua respiração irá melhorar. A sua respiração se tornará mais profunda, mais lenta, mais harmoniosa e pacífica, independente de você estar deitado, sentado ou caminhando. São necessárias apenas algumas respirações plenamente conscientes para se tornar livre, para relaxar, e para soltar a tensão no corpo e na mente.

Essa atenção completa à respiração é a prática de plena consciência. Ela nos permite enxergar com profundidade o que está no aqui e no agora, e entrar em contato com as maravilhas da vida de forma a nos tornarmos fortes e lúcidos o bastante para lidar com as situações difíceis que encontramos no trabalho.

Espaço para respirar

Talvez seja bom preparar um espaço no trabalho para lembrá-lo de respirar. Você pode montar um espaço bonito, calmo e relaxante no seu escritório, ou então pode ser um canto da mesa que permaneça sempre vazio, com exceção de um pequeno sino ou uma flor. Olhar para o sino ou para a flor pode ajudá-lo a focar em sua respiração plenamente consciente. Se você tiver colegas interessados em se juntar a você na prática da respiração plenamente consciente, pode encontrar um espaço adequado, como uma área bonita a céu aberto ou a sala usada para intervalos, ou até mesmo o escritório de algum colega, para preparar um ambiente calmo, bonito e relaxante no qual vocês possam sentar juntos e apreciar o foco na respiração.

Um sino de plena consciência

Talvez você queira providenciar um pequeno sino japonês, um minissino, e levá-lo para o trabalho. O sino pode ficar guardado na sua mala ou então na sua mesa, e quando você precisar de um intervalo para respirar, pode "acordar" o sino tocando levemente na beira com o badalo. Em seguida inspire e expire devagar, antes de fazer o sino soar mais alto. Continue respirando pacificamente enquanto aprecia o belo som do sino. Quando escutamos o som do sino, lembramos de voltar para nós mesmos, de voltar para a nossa respiração, e de tocar a vida profundamente no momento presente. Isso é chamado de sino da plena consciência, pois seu som logo nos traz de volta a nós mesmos, unindo o corpo e a mente por meio da respiração. Isso é muito restaurador. Quando o clima no trabalho não está muito calmo ou agradável, você pode usar o sino para voltar a si mesmo, e respirar em silêncio e plena consciência por alguns minutos. Vai se sentir muito melhor depois, e o clima desagradável será transformado.

Na Plum Village, muitos monges e monjas deixam um sino de plena consciência programado para tocar em seus computadores a cada quinze minutos, para lembrá-los de retornar ao lar do corpo e apreciar a respiração. Inspirar e expirar três vezes é suficiente para relaxar a tensão no corpo e na mente. Nesse breve intervalo, o corpo se torna o único objeto em sua mente. Você interrompe todos os outros pensamentos, todas as preocupações com o passado ou o futuro. Isso nos traz liberdade. A liberdade é possível com apenas algumas respirações.

Qualquer item em sua vida cotidiana pode servir como seu sino de plena consciência – o toque do celular, o soar da hora de um relógio digital, os sinos de uma igreja, o som que o elevador faz ao chegar no seu andar, uma placa de pare, um farol vermelho. Você pode usar todos esses itens como oportunidades para interromper o pensamento, voltar à sua respiração e ao seu corpo, e desfrutar de alguns momentos de paz e relaxamento no momento presente.

Sentando-se

Muitos de nós passam boa parte do expediente sentados. Mas qual é a qualidade do nosso sentar? Nós gostamos de sentar? Podemos interromper o trabalho uma vez por hora, durante alguns minutos, e em vez de ficar sentados para fazer o nosso trabalho, apenas ficarmos sentados. Podemos sentar para apreciar o ato de se sentar, e respirar por nenhum outro propósito além da própria respiração. Podemos fazer isso sem mudar muita coisa, e sem ninguém reparar no que estamos fazendo.

Quando eu era um monge novato praticando em um templo chamado Hai Duc, no Vietnã, certa vez observei um velho mestre Zen sentado sozinho, não no salão de meditação, mas num assento baixo tradicional. Não havia mesas nem cadeiras no templo, apenas pedaços retos de madeira para servir de assento. Eu vi o mestre sentar-se em um desses pedaços de madeira com a postura muito ereta, e de maneira muito graciosa. Nunca me esqueci daquela imagem. Ele estava sentado tão ereto, com tanta paz e naturalidade. Eu olhei para ele e percebi, no meu coração, que desejava sentar daquela mesma forma. Eu também queria conseguir sentar daquele jeito – sem esforço, sem nenhum propósito aparente. Sentar daquela forma me traria felicidade. Eu não teria de fazer nada. Não teria de dizer nada. Apenas sentaria.

Sentando apenas para ficar sentado

Como podemos nos sentar daquela forma? Qual é o propósito de sentar daquela forma? Aquele monge não estava sentado ali para cumprir algum propósito. Ele estava sentado apenas para ficar sentado, para apreciar o sentar. Se você perguntar para algumas crianças por que elas comem chocolate, a maioria vai dizer que é porque gosta de comer chocolate; elas não seriam capazes de dar uma explicação racional.

Ficar em um lugar lindo ao ar livre também pode ser assim. Se alguém me perguntar por que estou parado nesse lugar específico, o que devo responder? Normalmente não tenho um propósito, ou uma razão. Estou parado apenas para ficar parado. Eu gosto de ficar parado naquele lugar lindo. Ficar lá não cumpre nenhum propósito, e comer chocolate também não. Nós ficamos em um lugar ou comemos chocolate porque gostamos de fazê-lo.

Da próxima vez que você estiver sentado no trabalho, pode fazer um intervalo e sentar daquela forma – sentar-se como o Buda. Sente-se com a coluna ereta, mas não rígida. Deixe o ar fluir livremente pelo corpo e sinta o movimento do seu abdômen contraindo e relaxando. Quando a sua coluna está reta e você sente que está ereto, pode relaxar o corpo inteiro. Você não precisa se tornar um Buda de tempo integral. Você não precisa ser completamente iluminado. Um Buda de meio período já está bom. A única coisa da qual você precisa é a liberdade do momento presente. Você não se deixa levar pelo passado ou pelo futuro, nem pelas aflições da raiva, preocupação ou ciúme. Usando todo o seu corpo e mente, você pode sentar-se como uma pessoa livre.

Quando sentamos, sentamos para ser felizes. Sentamos para ter consciência de que estamos aqui, vivos, cercados por um mundo maravilhoso, que também está dentro de nós. Se sentarmos dessa forma, entramos em contato com as maravilhas da vida dentro de nós e ao nosso redor, e já estamos felizes. Mesmo se estivermos dentro de casa, mesmo durante o dia, ainda sabemos que sobre as nossas cabeças estão todas aquelas estrelas. Lá está a Via Láctea, a nossa galáxia de estrelas, um rio feito de trilhões de estrelas. Nós estamos sentados em um planeta, um planeta lindo, que está girando ao redor da galáxia. Se sentarmos e pudermos ver com clareza as maravilhas do nosso Planeta Terra e do universo, que outra razão precisamos para nos sentar? Quando nos sentamos dessa forma, temos consciência. Podemos abraçar o mundo inteiro, do passado ao futuro. Se, naquele instante, um colega passasse pelo seu escritório ou pela sua mesa e o visse sentado dessa forma, o que ele veria? Ele veria apenas que você está sentado pacificamente, com o coração e a mente em paz, e um sorriso em seu rosto.

Caminhando com plena consciência

Talvez o seu emprego demande que você passe a maior parte do dia sentado, mas sempre existem oportunidades para caminhar, mesmo se for apenas do estacionamento até o escritório, de uma sala para outra, ou no caminho do banheiro. Quando você caminha com plena consciência, vinculando a caminhada com a respiração e focando a sua atenção nas solas dos pés, cada passo se torna revigorante e restaurador. Cada passo pode lhe trazer alegria. Você precisa dessa alegria para continuar fazendo bem o seu trabalho. Sem esse tipo de sustento, como continuar? Se você souber a arte de caminhar com plena consciência, os momentos no trabalho em que você puder caminhar com tranquilidade e atenção se tornarão algo prazeroso, e isso pode tornar o seu dia inteiro mais agradável.

Todos nós temos a tendência de correr ao invés de caminhar. Passamos a vida toda correndo, e continuamos correndo para o futuro, onde pensamos que vamos encontrar felicidade. Nós herdamos dos nossos pais e ancestrais o hábito de correr. Quando aprendemos a reconhecer esse hábito, podemos usar a respiração plenamente consciente para acalmar os nossos passos, apenas sorrir e dizer: "Olá, velho amigo. Eu sei que você está aí". Você não precisa lutar contra o seu desejo de andar rápido. Não existe nenhuma luta nessa prática. Existe apenas o reconhecimento e a consciência do que está se passando.

Se você for um profissional da área da saúde – um médico, enfermeiro, terapeuta, assistente social ou técnico médico emergencial –, praticar a meditação ao caminhar pode ser especialmente útil, pois o seu emprego envolve lidar com muitas pessoas que estão doentes e sofrendo. Caminhar com plena consciência pode lhe dar força e paz de espírito necessárias para fazer esse tipo de trabalho, pois a prática irá ajudá-lo a entrar em contato com as maravilhas da vida e permitir que você cultive paz e alegria dentro de si mesmo.

Não temos o hábito de reservar tempo suficiente para caminhar. Se tivermos uma reunião, vamos nos apressar para chegar logo, sem tempo para praticar a meditação andando no caminho. Imagine que você precisa ir ao aeroporto. Vai pensar que tem tempo suficiente para adiar e esperar até o último minuto antes de sair de casa ou do escritório. Mas talvez haja muito trânsito, você chegue tarde e tenha de se apressar. Sempre é possível planejar as atividades de forma a reservar bastante tempo para caminhar como uma pessoa livre no aeroporto. Dê uma hora extra a si mesmo, e aprecie uma meditação andando no aeroporto antes de pegar o seu voo.

Praticando a meditação andando

Existem dois tipos de meditação andando. O primeiro é a caminhada lenta. Caminhar lentamente é muito útil para iniciantes. Ao inspirar, você dá um passo. Ao expirar, você dá outro. Leve toda a sua atenção para o contato entre o seu pé e o solo. Ao inspirar, dê um passo com o pé esquerdo. Você pode dizer a si mesmo: "Eu cheguei". Essa não é uma declaração; é uma prática. Você deve mesmo chegar. "Chegar aonde?", talvez você se pergunte. Chegar ao aqui e agora. De acordo com esse ensinamento e prática, a vida só está disponível no aqui e agora. O passado já se foi. O futuro ainda não chegou. Existe apenas um momento em que você pode viver plenamente, e este é o momento presente. Ao expirar, você dá outro passo com o pé direito e diz: "Eu estou em casa". O meu lar verdadeiro não está no passado, nem no futuro. O meu lar verdadeiro é a própria vida – está no aqui e agora. Eu cheguei ao meu lar verdadeiro, onde me sinto tranquilo. Não preciso mais correr.

Os seus passos o trazem de volta ao momento presente, para que você possa tocar as maravilhas da vida que estão disponíveis no momento presente. Você marcou um encontro com a vida no aqui e agora. Se perder o momento presente, perderá seu encontro com a vida. A meditação andando é uma forma maravilhosa de aprender e treinar a habilidade de viver no aqui e agora. Isso é estar verdadeiramente vivo. Ao perder-se no passado ou deixar-se levar pelo futuro, você deixa de viver a sua vida. É apenas ao tocar com intensidade o momento presente que você pode tocar a vida, e ser realmente vivo.

Quando você inspirar e disser "eu cheguei", caso sinta que chegou mesmo, sorria. Abra um sorriso de vitória para si mesmo. É muito importante chegar, pois quando você chega, não está mais correndo. Você parou de correr. Muitos de nós continuam correndo mesmo durante o sono. Nunca conseguimos descansar. Em nossos sonhos, em nossos pesadelos, continuamos correndo. É por isso que precisamos treinar a habilidade de parar. Parar nos ajuda a estar no aqui e agora, e a tocar as maravilhas da vida para a nossa transformação e cura. "Eu cheguei. Estou em casa."

Esse é o primeiro tipo de meditação andando. O ato de caminhar lentamente pode ser feito em qualquer lugar, a qualquer momento. Você pode experimentar a meditação andando quando atravessa o seu escritório, caminha entre salas diferentes, vai ao banheiro ou caminha no parque durante o intervalo de almoço. Não pense que precisa ser um "budista" ou compreender tudo sobre a plena consciência logo de cara. Qualquer um pode praticar a caminhada com plena consciência. Você precisa apenas da disposição para conseguir chegar ao aqui e agora. Talvez você fique surpreso ao perceber que está se sentindo em casa, mesmo quando estiver no trabalho!

O segundo tipo de meditação andando envolve passos um pouco mais rápidos, mas você ainda se mantém atento aos passos e à sua respiração; continua em contato com a terra sob os seus pés, com a sua respiração, e com o mundo ao seu redor.

Ao inspirar, talvez você queira dar dois ou três passos e repetir para si mesmo a cada passo: "Eu cheguei, eu cheguei, eu cheguei". Ao expirar, talvez possa dar mais dois ou três passos e dizer: "estou em casa, estou em casa, estou em casa". Quando eu inspiro, consigo dar dois ou três passos, e dou três ou quatro ao expirar. É algo que faço com muita naturalidade; talvez as pessoas não percebam que estou caminhando com plena consciência. Eu aprecio cada passo. Caminhando assim, somos tomados pela energia da plena consciência, que nos acalma e protege, mantendo-nos seguros e satisfeitos no momento presente. Você pode fazer isso quando estiver caminhando até o ponto de ônibus, uma reunião, ou algum compromisso. Talvez queira usar determinada distância, como um quarteirão, para praticar a caminhada lenta. Ou então pode caminhar dessa forma do estacionamento até o escritório, todos os dias.

Aprecie cada passo e toque nas maravilhas da vida. Interrompa todo o pensamento. Você pode fazer isso quando estiver caminhando com outras pessoas, e talvez elas nem percebam.

Sempre que tiver cinco ou dez minutos, você pode apreciar essa prática. Ao caminhar de um prédio para outro, você pratica a meditação andando, e pode apreciar cada passo. Eu sempre gosto de caminhar. Tenho um só estilo de caminhada: a caminhada plenamente consciente. Mesmo se a distância for de apenas um ou dois metros, sempre emprego essas técnicas e aprecio a caminhada plenamente consciente.

Comendo no trabalho

Outra oportunidade de praticar a plena consciência se dá quando comemos. É comum beliscar petiscos no trabalho só para ter o que fazer. Estamos entediados, e queremos colocar algo na boca. Talvez a sensação seja estresse, ou ansiedade e preocupação com o nosso trabalho, e a nossa vontade seja de mascarar essas sensações desagradáveis comendo, tomando ou consumindo algo. Caso você sinta esse desejo, tente sentar-se e respirar com plena consciência para acalmar os seus sentimentos de preocupação ou inquietude. Se for comer alguma coisa, pense no que está comendo, e considere se é nutritivo para o seu corpo e espírito. Em muitas partes da Ásia, desde os tempos mais remotos, não há qualquer distinção entre comida e medicina – o que nós comemos deveria ser benéfico para o nosso corpo e mente, e deveria preservar o nosso equilíbrio e bem-estar. Quando comemos e respiramos corretamente, nutrimos o nosso sangue, nosso corpo, e nosso espírito. Mas se não nos alimentarmos direito, ou se comermos demais, podemos sofrer de doenças no corpo ou na mente. Nós deveríamos selecionar aquilo que comemos com cuidado, e mastigar a comida muito bem.

Mesmo quando escolhe um lanche saudável no trabalho, você ainda corre o risco de comê-lo de maneira pouco saudável, como quando continua a trabalhar com uma mão enquanto segura a sua comida na outra. Muitos anos atrás, eu conheci um jovem americano chamado Jim que me pediu para lhe ensinar a prática da plena consciência. Certa vez estávamos juntos e eu lhe ofereci uma mexerica. Jim aceitou a mexerica, mas continuou falando sobre os diversos projetos nos quais estava envolvido – seu trabalho pela paz, justiça social e assim por diante. Ele estava comendo, mas, ao mesmo tempo, pensava e falava. Eu estava com Jim enquanto ele descascava a mexerica e punha os gomos na boca, rapidamente mastigando e engolindo.

Finalmente eu lhe disse: "Jim, pare!" Ele olhou para mim, e eu disse: "coma a sua mexerica". Ele entendeu. Parou de falar, e começou a comer com muito mais calma e plena consciência. Jim separou cada um dos gomos com cuidado, sentiu sua bela fragrância e colocou um gomo por vez na boca, sentindo a fruta se abrir com os dentes. Comer e saborear a mexerica dessa forma levou vários minutos, mas Jim sabia que tinha tempo o suficiente para desfrutar da mexerica. Quando terminou de comer, ele se deu conta que a mexerica havia se tornado real, que o comedor da mexerica havia se tornado real, e que a vida também havia se tornado real naquele momento. Qual é o propósito de comer uma mexerica? Trata-se apenas de comer a mexerica. Enquanto você come uma mexerica, comer aquela mexerica torna-se a coisa mais importante na sua vida.

Da próxima vez que você comer algo no trabalho, como uma mexerica, peço que a coloque na palma da mão e olhe para ela de forma a tornar a mexerica real. Você não precisa de muito tempo para fazer isso, apenas dois ou três segundos. Olhando para ela, você pode ver uma linda árvore, um florescer, a luz do Sol e a chuva, e pode ver uma pequena fruta se formando. Pode observar a recorrência da luz do Sol e da chuva, e a transformação da pequena semente na mexerica perfeitamente formada que está em sua mão. Você pode ver a cor mudar do verde ao laranja, e a mexerica ficando mais doce. Olhando para uma mexerica desta forma, você verá que todo o cosmos está contido nela – a luz do Sol, chuva, nuvens, árvores, folhas, tudo. Ao descascar, cheirar e provar a mexerica, você pode ser muito feliz.

Meditação no banheiro

Não importa qual o seu emprego, você provavelmente tem de usar o banheiro. Nos Estados Unidos, o banheiro é chamado de *restroom*[1], mas você costuma se sentir repousado quando está no banheiro? Na França, o termo para banheiro costumava ser *le cabinet d'aisance. Aisance* significa tranquilidade: é um lugar onde você se sente tranquilo, confortável. Então, quando for ao banheiro, permita-se sentir à vontade ali, aproveite esse tempo que você passa no banheiro. Saiba que o tempo passado ali não é menos importante do que qualquer outra coisa que você possa ter para fazer. O banheiro se torna um salão para meditação. Essa é a minha prática. Quando eu urino, eu me permito vivenciar plenamente o ato de urinar. Se você tem liberdade, urinar pode ser algo muito agradável. Você precisa investir 100% do seu corpo e mente no ato de urinar. Isso pode liberá-lo. Pode ser algo alegre. Caso já tenha sofrido uma infecção do trato urinário, você sabe que urinar pode ser doloroso. Mas agora você não está com a infecção, portanto urinar é muito agradável, relaxante. Seja livre durante os trinta segundos, mais ou menos, de micção.

Atendendo ao telefone

Você pode transformar toda conversa que tem pelo telefone em uma prática de plena consciência. Sempre que o telefone tocar, você pode escutá-lo como se fosse um sino

1. *Restroom*: sala de repouso [N.T.].

de plena consciência, um lembrete de parar o que você está fazendo e voltar ao momento presente. Em vez de atender com pressa, inspire e expire com atenção três vezes antes de atender, para garantir que estará realmente presente a quem quer que esteja ligando. Você interrompe os pensamentos e volta ao momento presente, reconhecendo qualquer sensação de estresse ou irritação que possa estar sentindo. Talvez você queira segurar o telefone enquanto respira, para sinalizar aos seus colegas que pretende atender ao telefone, mas não está com pressa. Isso também vai ajudá-los a não sentirem que são vítimas do telefone.

Se você quiser ligar para alguém, talvez possa recitar o seguinte gatha antes de fazer a chamada:

> Palavras podem viajar milhares de quilômetros.
> Que as minhas palavras criem compreensão mútua e amor.
> Que elas sejam lindas como gemas,
> E adoráveis como flores.

Liberando a tensão

O estresse e a tensão podem se acumular no seu corpo, mas, com inteligência e compaixão, você pode liberar a tensão e ajudar a criar condições de trabalho nas quais você e aqueles ao seu redor possam vivenciar mais alegria e menos estresse. Aprendendo a liberar a tensão em seu corpo, tornando-se capaz de relaxar, você poderá ajudar os outros membros da sua família e as pessoas com quem você trabalha a fazer o mesmo. Se você não sabe como liberar o estresse e a tensão que sente, como pode esperar que colegas de trabalho saibam liberar a tensão que há neles, ou que sejam capazes de cuidar das suas famílias? E se as situações familiares dos seus colegas não forem boas, como eles podem ser felizes e produtivos no trabalho? Portanto, qualquer coisa que você possa fazer por si mesmo e pela sua família também ajuda a cuidar dos seus colegas, o que, por sua vez, ajuda todo o ambiente de trabalho. Você pode apreciar a prática de relaxamento total e a compartilhar com outras pessoas, para ajudá-las a liberar a tensão que carregam acumulada e a vivenciar mais leveza e alegria, tanto no trabalho como em casa.

Você pode praticar o relaxamento total todos os dias no trabalho, para liberar a tensão e recuperar o seu vigor. Precisa apenas de cinco ou dez minutos entre compromissos ou durante o seu intervalo de almoço. Essa é uma oportunidade para o seu corpo repousar, curar, e ser restaurado. Nós relaxamos o corpo e damos atenção a cada parte, uma por vez, enviando amor para todas as células. Podemos dirigir a nossa atenção para qualquer parte do corpo: cabeça, couro cabeludo, cérebro, olhos, orelhas, maxilar, pulmões, coração, fígado, órgãos internos, sistema digestório e qualquer parte do corpo que precise de cura e atenção, abraçando cada parte e enviando amor e gratidão para elas, enquanto inspiramos e expiramos.

Você pode ajudar a si mesmo e aos seus colegas a relaxarem e sentirem-se mais felizes compartilhando essa prática com eles. Talvez queira organizar uma sala sem muito barulho para todos praticarem o relaxamento profundo juntos.

Relaxamento total

O relaxamento total é uma prática de liberação. Nós prestamos atenção às partes do corpo, a cabeça, os órgãos ou grupos musculares, e relaxamos cada uma deliberadamente, passando pelo corpo inteiro até ficarmos completamente relaxados.

Afrouxe qualquer parte da roupa que esteja apertada e deite-se de costas com a cabeça e a coluna alinhadas, os braços levemente afastados do corpo, as palmas viradas para cima e as pernas esticadas. Deixe os pés caírem para os lados naturalmente. Pode colocar um pequeno travesseiro embaixo do pescoço para apoio, e talvez você queira posicionar uma almofada, cobertor ou travesseiro embaixo dos joelhos para que a lombar possa se endireitar, ajudando a relaxar a coluna um pouco mais.

Abra mão dos pensamentos preocupados e deixe o seu corpo e mente descansarem completamente pelos próximos dez minutos. Esse tempo é só para você. Preste atenção em sua respiração, conforme o ar entra e sai do corpo. Repare no movimento gentil do abdômen, que sobe e desce. Não tente controlar a respiração, apenas a acompanhe. Ela se tornará mais lenta e profunda com muita naturalidade.

Leve a atenção para os pés e para os seus dedos. Preste atenção em cada dedo do pé. Sinta os calcanhares repousando no chão. Contraia os músculos em seus pés e nos dedos e em seguida relaxe. Leve a sua atenção para suas panturrilhas e as contraia, relaxando em seguida. Faça o mesmo com os joelhos, coxas, quadris e nádegas. Deixe que ambas as pernas fiquem completamente relaxadas. Repare que elas vão começar a parecer mais pesadas, como se estivessem afundando no chão. Você pode repetir esse processo de contração e relaxamento conforme percorre o corpo, focando em diferentes grupos musculares. Termine com a cabeça, o maxilar e os olhos. Envie amor e gratidão para cada parte do seu corpo enquanto o percorre, para todos os seus órgãos internos, e até mesmo para cada célula.

Talvez você ache que precisa voltar para casa depois de um longo dia no trabalho antes de poder relaxar, mas o relaxamento profundo é uma prática que pode ser feita a qualquer momento para relaxar tensão no corpo. Você não precisa esperar. Se passar o dia inteiro estressado e esperar até chegar em casa à noite para finalmente relaxar, talvez acabe não conseguindo fazê-lo, pois seu corpo e mente estarão muito agitados.

Quando você inspira e volta para o seu corpo, talvez perceba que há muita tensão física o impedindo de sentir-se relaxado, em paz e feliz. Então você se torna motivado pelo desejo de fazer algo para ajudar o seu corpo a sofrer menos. Enquanto você inspira e expira, apenas deixe que a tensão em seu corpo seja liberada. Abra mão dessa tensão. Essa é a prática de relaxamento total.

Caso você tenha apenas alguns minutos, pode recitar esses versos:

Inspirando, eu libero a tensão em meu corpo.
Expirando, eu sorrio.

Inspirando, estou ciente dos meus olhos.
Expirando, sorrio para os meus olhos.

Quando você desenvolve a energia da plena consciência, passa a ser capaz de acolher os seus olhos e de sorrir para eles. Isso é a plena consciência dos nossos olhos. Você toca uma das condições para a felicidade que estão presentes. É uma coisa maravilhosa ter olhos que ainda estão em boas condições. Há um paraíso de formas e cores disponível para você a qualquer instante. A única coisa que você precisa fazer é abrir os olhos.

Inspirando, estou ciente do meu coração.
Expirando, sorrio para o meu coração.

Ao usar a energia da plena consciência para acolher o seu coração e sorrir para ele, poderá ver que o seu coração ainda está funcionando normalmente, e sentir-se muito agradecido. Muitas pessoas desejariam ter um coração que funcionasse normalmente. É uma condição básica para o nosso bem-estar, outra condição para a nossa felicidade. Ao acolher o seu coração com a energia da plena consciência, ele se tornará calmo e reconfortado. Você negligenciou esse coração por muito tempo, pensando apenas em outras coisas. Você persegue as coisas que acredita serem as verdadeiras condições para a felicidade enquanto se esquece do seu coração.

O seu coração chega até mesmo a sofrer devido à maneira como você se alimenta, bebe, repousa e trabalha. Acender um cigarro faz o seu coração sofrer. Ingerir álcool agride o coração. Trabalhar muitas horas em um emprego estressante, sem repouso adequado, força o coração. Você sabe que o seu coração está trabalhando pelo seu bem-estar há muitos anos, dia e noite, mas devido à sua falta de plena consciência, você não foi muito generoso com ele. Você não sabe como proteger as condições para o bem-estar e a felicidade que leva dentro de si. Mas agora você pode fazer algo pelo seu coração. Pode enviar amor para ele e o acolher, e agradecê-lo por estar em você.

Você pode continuar fazendo essa prática com outras partes do corpo, como o fígado. Acolha o seu fígado com gentileza, amor e compaixão. Crie plena consciência através da sua respiração, e mantenha o fígado como alvo da sua plena consciência. Quando você direciona a energia da plena consciência para a parte do corpo que está sendo acolhida com amor e gentileza, está fazendo exatamente o que o seu corpo precisa. Se uma parte do seu corpo não parece muito bem, você precisa passar mais tempo contemplando-a em plena consciência, e sorrindo para ela. Talvez você não tenha tempo de dar atenção a todas as partes do seu corpo em uma sessão, mas pode escolher pelo menos uma parte do corpo, uma ou duas vezes por dia, para focar e praticar o relaxamento.

Qualquer que seja a posição do corpo, e independentemente de estar deitado, em pé ou caminhando, você sempre pode relaxar a tensão. Sentado no ônibus, pode praticar a respiração e a liberação da tensão interna. Andando a caminho de uma reunião, pode deixar que a tensão seja liberada a cada passo. Você vai caminhar como uma pessoa livre. Vai desfrutar de cada passo que der. Já não estará mais com pressa. Ao caminhar em plena consciência até o ponto de ônibus, ou do estacionamento até o seu escritório, você estará liberando tensão a cada passo, e chegará ao escritório sentindo-se renovado, livre e leve.

Encontrando um lar no trabalho

Na maioria dos contextos profissionais é necessário trabalhar junto com outras pessoas. Podemos trabalhar com outros em uma equipe, no mesmo escritório ou espaço de trabalho, ou então para desenvolver um projeto ou conquistar alguma meta específica. Mas as pessoas no grupo têm suas próprias dificuldades e sofrimentos, que as acompanham até o trabalho. Quando você vai trabalhar preparado, feliz, renovado e em paz consigo mesmo, está ajudando os seus colegas a fazerem o mesmo. Você não se importa apenas com a qualidade do trabalho que eles fazem, pois essa qualidade depende muito da paz e bem-estar que cada um deles carrega dentro de si. Então você vai para o trabalho como um bodhisattva, ou como um grupo de bodhisattvas, com a aspiração de ajudar os outros a transformar e superar o seu sofrimento, de trazer paz, harmonia e bem-estar para os seus colegas e todo o espaço de trabalho. Você cria felicidade e harmonia no trabalho.

Às vezes pode acontecer de sentirmos certa insegurança no ambiente de trabalho. Sentimos que não somos aceitos, ou então tememos a rejeição. No entanto, quando vamos para as montanhas e passamos tempo em meio às árvores e aos animais, parece que eles nos aceitam, que estamos entrando em um lugar onde nos sentimos bem-vindos. Não temos medo de que eles nos vejam e nos julguem. Mas, no trabalho, sentimos que não temos aprovação. Temos medo de ser nós mesmos. Tentamos nos comportar de forma a sentir que somos mais aceitáveis para os outros. Isso é uma tragédia.

Uma flor não tem esse tipo de receio. Ela cresce no jardim junto com muitos outros tipos de flores, mas não tenta ser igual a nenhuma das outras flores. Ela se aceita da forma como é. Não tente ser algo ou alguém diferente. Se nascemos da forma como somos, não precisamos nos transformar em outra coisa. Precisamos aprender a aceitar como somos. O cosmos se uniu para que pudéssemos nos manifestar dessa forma, e somos lindos assim. Ser lindo significa ser você mesmo.

A ilha do self

Quando o Buda tinha oitenta anos de idade e sabia que não viveria por muito mais tempo, ele ofereceu a prática da "ilha do self" aos seus discípulos. Ele disse que existe uma ilha segura dentro de você, para a qual você pode voltar toda vez que se sentir temeroso, instável ou for tomado pelo desespero. Volte para casa, para essa ilha do self dentro de você, refugie-se nessa ilha, e você estará seguro. A ilha do self está a uma respiração de distância. Com a prática da respiração plenamente consciente ou da caminhada plenamente consciente, você pode voltar para a sua casa na ilha em um instante.

Antes de me mudar para a Plum Village, eu vivia em uma casa de campo afastada que ficava, de carro, a uma hora de Paris. Um dia eu saí para dar uma caminhada, a manhã estava linda, então, antes de sair, eu abri todas as portas e janelas. Mas lá pelas quatro da tarde o tempo mudou; o vento apertou, nuvens cobriram o Sol e começou a chover. Eu sabia que deveria voltar para casa, então pratiquei a caminhada plenamente consciente no caminho de volta. Quando cheguei, descobri que minha casa estava em péssimo estado. Seu interior era escuro, frio e deprimente. Não era mais um lugar agradável para se estar. Mas eu sabia o que tinha de fazer. A primeira coisa era fechar todas as portas e janelas. A segunda era começar um fogo no fogão a lenha. Depois disso, eu acendi uma lamparina de querosene. Em seguida coletei todas as folhas de papel que tinham saído voando e se espalhado pelo chão. Quando tudo tinha sido recolhido e estava em seu devido lugar, eu me sentei próximo à lareira e deixei o fogo me aquecer. Agora a casa tinha voltado a ser um lugar aconchegante e agradável para se estar. Eu estava seguro e confortável em minha casa.

A imagem descrita acima pode ilustrar o que fazer quando nos sentimos tristes ou chateados em nossas vidas cotidianas. Quando tentamos tanto, pior nos sentimos quanto maior for nossa insistência. Quando dizemos "hoje não é meu dia", e parece que fracassamos em tudo que tentamos fazer. Tentamos dizer ou fazer algo para melhorar a situação, mas não funciona. Essa é a hora de voltar para a pequena casa de campo e fechar todas as portas e janelas. Volte para o lar dentro de si por meio da sua respiração plenamente consciente, e reconheça os sentimentos que carrega consigo. Talvez você perceba sensações de raiva, medo, ansiedade ou desespero. Qualquer que seja a emoção presente, reconheça-a, e a acolha com muita gentileza.

Quando uma mãe ouve seu bebê recém-nascido chorar, ela para o que quer que esteja fazendo e vai logo ver o bebê. A primeira coisa que ela faz é pegá-lo e segurá-lo com carinho nos braços. O bebê está manifestando a energia do sofrimento. Na mãe está a energia da ternura, que começa a penetrar o corpo do bebê. Da mesma forma, o seu medo é seu bebê. A sua raiva é seu bebê. O seu desespero é o seu bebê. O seu bebê precisa que você vá para casa e cuide dele. Volte agora mesmo para a sua casa de campo, para a ilha do self, e cuide do seu bebê.

A energia da plena consciência é a mãe; com a energia da plena consciência, você pode segurar o seu bebê no colo. A plena consciência é uma energia que você pode produzir. É a capacidade de tornar-se ciente daquilo que está se passando. É o calor que você pode produzir ao fazer fogo. O fogo e o calor vão transformar o frio e a tristeza em sua pequena casa de campo. O seu bebê é você; você não deveria tentar suprimir os sentimentos e emoções difíceis que tem. O seu medo e raiva são você; não lute contra eles. Não lute contra o seu medo, a sua raiva ou o seu desespero. Com plena consciência, você pode acolher esses sentimentos. Se continuar respirando com plena consciência, a energia da plena consciência será gerada e vai acolher e acalmar os seus sentimentos difíceis, como a mãe que, com carinho, abraça e acalma seu bebê choroso.

Lidando com emoções fortes no trabalho

É muito importante aprender a lidar com as nossas emoções fortes no trabalho, de forma a manter bons relacionamentos com os outros, manter as linhas de comunicação abertas e evitar um clima de trabalho negativo ou opressivo. Existem práticas para nos ajudar a lidar com emoções fortes, e todos precisamos aprender essas práticas nos momentos tranquilos, antes que as emoções fortes surjam, para sabermos o que fazer ao confrontar situações assim.

A primeira prática consiste em perceber que todas as emoções são impermanentes – elas surgem, permanecem por um tempo, e então passam. É muito importante interromper todos os pensamentos quando nos vemos tomados por uma emoção forte, para não alimentar o fogo com aquilo que estamos pensando. Precisamos parar imediatamente e voltar para a respiração, praticando a respiração abdominal profunda. Essa é a segunda prática. Retirar imediatamente a sua atenção da pessoa, coisa ou situação que você acredita estar causando a sua raiva ou frustração, e retornar ao seu corpo, acompanhando as inspirações e expirações. Apenas as acompanhe. Você não precisa forçar uma mudança no ritmo; levar a sua concentração e atenção para a respiração permite que ela se acalme naturalmente, tornando-se mais profunda e suave. Não se force a respirar mais fundo, ou mais devagar – apenas observe a respiração, sem tentar mudar nada.

Se você conseguir levar plena consciência à sua respiração, além da própria respiração ficar mais amena, seu corpo e mente também ficarão mais calmos. Um praticante experiente sabe como manipular e harmonizar a respiração, o corpo e a mente dessa maneira.

Meditação andando e emoções fortes

A meditação andando pode ser uma maneira excelente de lidar com emoções fortes que ocorram no trabalho, como raiva, ressentimento ou frustração. A prática de manter a atenção na respiração plenamente consciente e na caminhada plenamente consciente exige que você reconheça essas emoções, em vez de tentar se livrar logo delas, ou ignorá-las. Existe uma forma de transformar o nosso sofrimento e nos liberar dele. Se tentamos nos livrar logo do que nos incomoda, estamos ignorando o nosso sofrimento, ao invés de tentar encontrar um alívio verdadeiro para ele. Para encontrar o caminho que nos tira do sofrimento, primeiro temos que aceitá-lo e olhar com muita atenção para compreender a sua verdadeira natureza e origem. Quando começamos a agir dessa forma, podemos levar a nossa compreensão para o ambiente de trabalho, e usá-la para ajudar os colegas ao nosso redor. Portanto, caso emoções fortes surjam em nosso expediente, como raiva ou frustração, podemos parar o que estamos fazendo imediatamente e lidar com as emoções. Se a raiva surgir, não diga e nem faça nada. Isso é muito importante. Saia no mesmo instante e pratique a meditação andando e a respiração com plena consciência. Interrompa todos os pensamentos e foque apenas nos seus passos e na sua respiração. Você verá que as emoções se amenizam gradualmente.

Se você for um gerente ou supervisor, provavelmente já sabe que implementar regras valendo-se de raiva ou de violência, usando a sua autoridade para controlar ou coibir os seus colegas, não traz paz, felicidade nem harmonia. O mesmo ocorre com as emoções fortes, sejam elas suas ou de outra pessoa. Se você tentar ignorar os seus sentimentos, ou tentar se forçar a pensar e sentir algo diferente, não vai ter sucesso. A meditação andando nos ajuda a lembrar de aceitar os sentimentos, de coexistir com o que está presente, em vez de tentar forçar algo ou fingir que não há nada acontecendo.

Lidando com a raiva

Imagine que você tem um relacionamento difícil com um de seus colegas. Vocês estão bravos um com o outro por causa de uma ofensa sentida, uma promoção, ou uma situação em que essa pessoa não o escutou nem o reconheceu. Talvez a sua reação seja colocar toda a culpa na outra pessoa. Você pensa ser o único que está sofrendo, e que a outra pessoa não está sofrendo nem um pouco. E você acredita que não é responsável pelo seu próprio sofrimento, que a culpa é da outra pessoa. Mas você é corresponsável pela dificuldade no relacionamento. Um relacionamento entre duas pessoas que, como todos nós, estão conectadas uma à outra. O papel da outra pessoa no mal-entendido não poderia existir sem o seu papel. Ambos são responsáveis por criar a situação.

Nós podemos transformar a forma como pensamos ao praticar a plena consciência. Quando você pratica a plena consciência, torna-se mais ciente de si mesmo. Quando a raiva vier, você saberá que a raiva está presente. Então, irá praticar a respiração plenamente consciente e dizer: "inspirando, eu sei que há raiva em mim. Expirando, eu vou cuidar bem da minha raiva". Se você praticar de acordo com esse ensinamento, não agirá de maneira reativa, e não será tentado a fazer ou dizer algo imediatamente para a pessoa com quem você está bravo. Dizer ou fazer algo durante um momento de raiva é sempre destrutivo. Não diga nada. Não reaja. Apenas continue praticando a respiração plenamente consciente e a caminhada plenamente consciente. Acolha a sua raiva, reconheça sua presença, e traga alívio para essa raiva. Depois disso, você poderá olhar atentamente para a sua raiva e se perguntar por que está irritado.

Quando o seu quarto está frio, você liga o aquecedor e o aparelho começa a emitir ondas de ar quente. O ar quente não tenta lutar contra o ar frio. Ele se espalha e acolhe o ar frio, e, cinco ou dez minutos depois, o ar frio fica mais quente. Da mesma forma, a energia da plena consciência e da concentração acolhem a energia da dor ou da raiva.

Talvez a semente de raiva que existe em você seja grande. Assim que escutamos ou vemos algo que não é agradável, a semente de raiva dentro de nós é regada, e ficamos irritados. A principal causa do nosso sofrimento somos nós mesmos, e não a outra pessoa. A outra pessoa é apenas uma causa secundária. Se soubermos disso, ficamos menos irritados. Se olharmos com atenção para a nossa raiva, veremos que ela foi causada por mal-entendidos, percepções errôneas e pontos de vista incompletos. Quando percebemos isso, a nossa raiva é transformada e surge a compreensão.

Restaurando a boa comunicação no trabalho

É importante fazer um acordo com nós mesmos e com a nossa comunidade de trabalho, segundo o qual, daqui por diante, toda vez que a raiva se manifestar, não faremos nem diremos nada até termos nos acalmado. Talvez você queira usar um "tratado de paz" para lembrar a todos desse compromisso. Segundo essa prática, precisamos olhar com atenção para nós mesmos de forma a reconhecer as raízes da nossa raiva. Mas se não formos capazes de transformá-la, então precisamos entrar em contato com a pessoa que é alvo da nossa raiva e pedir sua ajuda, para poder corrigir a nossa percepção errônea. Isso só deve ser feito depois de tentarmos lidar com a raiva sozinhos, mas não muito tempo depois, quando a raiva já teve tempo para se consolidar. Em geral, costuma ser melhor comunicar a nossa necessidade de ajuda dentro de 24 horas, pois não é saudável manter a raiva presente se não pudermos encontrar uma solução para ela.

Avise a outra pessoa que você está irritado, que está sofrendo por causa disso, e não entende por que ela fez ou disse aquilo que o incomodou. Peça por ajuda e por uma explicação. Se você estiver irritado a ponto de não conseguir falar diretamente com a pessoa, escreva a sua mensagem e entregue para ela.

Abaixo estão três frases que podem ser muito úteis.

A primeira frase é: "Caro colega ou amigo: eu estou sofrendo. Estou com raiva. Eu quero que você saiba disso". Visto que as suas vidas estão conectadas, você tem o dever de dizer à outra pessoa como está se sentindo.

A segunda frase que pode ser útil é: "Eu estou fazendo o melhor que posso". Isso significa que estou praticando a respiração plenamente consciente, que me abstive de dizer ou fazer coisas por causa da raiva e, em vez disso, estou olhando com atenção e tentando praticar o pensamento correto e o discurso correto. Essa segunda frase vai inspirar muito respeito na outra pessoa, e fará com que ele ou ela também tente aderir à prática.

A terceira frase é: "Por favor, me ajude". Talvez você queira elaborar um pouco mais e dizer: "Eu não consigo lidar com essa raiva sozinho. Tenho praticado. Mas quase 24 horas se passaram, e ainda não encontrei muito alívio. Não consigo transformar a raiva sozinho. Por favor, me ajude".

Pedir ajuda é uma coisa maravilhosa. Normalmente, quando somos feridos, temos uma tendência a dizer: "Eu não preciso de você. Não preciso da sua ajuda. Posso sobreviver sozinho". E aí você fica com mais raiva ainda. Mas, caso você consiga escrever: "Por favor, me ajude", então a sua raiva abrandará no mesmo instante. Em vez de tentar se virar sozinho, diga o oposto: "Eu preciso de você. Estou sofrendo. Por favor, venha e me ajude".

Se você quiser mais felicidade em sua vida profissional, memorize essas três frases. Talvez possa anotá-las em um papel para ser guardado na carteira, como se fosse um sino de plena consciência. Toda vez que a raiva surgir, a primeira coisa que você pode fazer antes de reagir, antes de dizer ou fazer alguma coisa, é puxar a sua carteira e ler estas três frases.

Praticando o tratado de paz

Um tratado de paz pode ajudar a nos acalmar e a amenizar dificuldades com as pessoas no trabalho. Podemos ler o tratado com frequência, para lembrar do que devemos fazer quando sentimos raiva de alguém, ou quando alguém está sentindo raiva de nós.

O mais importante é lembrar de não dizer nem fazer nada enquanto estamos irritados. Em vez disso, devemos voltar a atenção para a respiração imediatamente. Acompanhando a respiração, podemos nos acalmar. Podemos conversar com a outra pessoa sobre o que nos deixou bravos. Mas antes precisamos olhar fundo para dentro de nós mesmos, para ver que a verdadeira causa da raiva é a forte semente dela que existe dentro de nós. A outra pessoa é apenas uma causa secundária para a nossa raiva.

Quando sentimos que machucamos alguém ou que deixamos alguém com raiva, podemos pedir desculpas imediatamente, pois sabemos que a nossa felicidade depende da felicidade dessa pessoa, e que o sofrimento dos outros se torna o nosso próprio sofrimento. Com essa consciência, tentamos restaurar a comunicação e os nossos relacionamentos o mais rápido possível.

O texto a seguir é uma adaptação do tratado de paz da Plum Village, originalmente concebido para ajudar casais a resolver conflitos, melhorar a comunicação e manter bons relacionamentos. Talvez você queira conversar sobre essa versão levemente adaptada com os seus colegas de trabalho, e pendurá-la onde possa ser lida com frequência. Assim, vocês poderão ser lembrados do que devem fazer caso surja alguma dificuldade entre colegas, de forma que cada pessoa possa compreender e aceitar melhor a sua própria responsabilidade pelo conflito.

Tratado de paz

A fim de trabalharmos juntos com alegria e aprofundar a compreensão que temos um pelo outro, os funcionários de _________________ (esta equipe / escritório / departamento / empresa / etc.) se comprometem a observar e praticar o seguinte:

Eu, que estou irritado, concordo que:

1) Vou me abster de dizer ou fazer qualquer coisa que possa causar mais dano ou intensificar a raiva.

2) Não vou reprimir a minha raiva.

3) Praticarei a respiração e tomarei refúgio na minha ilha do self.

4) Com calma, dentro de 24 horas, contarei à pessoa que me deixou irritado sobre a minha raiva e sofrimento, seja verbalmente ou entregando um bilhete de paz.

5) Pedirei para agendar uma conversa ainda esta semana, por exemplo, na sexta-feira, seja verbalmente ou por bilhete, para discutir essa questão de maneira mais elaborada.

6) Não vou dizer "Está tudo bem, não estou com raiva. Não estou sofrendo. Não tem razão para ficar irritado, não é nada que me deixe nervoso".

7) Praticarei a respiração e contemplarei a minha vida cotidiana para ver:

a) As maneiras pelas quais eu mesmo deixei de ser habilidoso em alguns momentos.

b) A forma pela qual eu machuquei a outra pessoa com a minha energia negativa ou pouco habilidosa.

c) Que a forte semente de raiva em mim mesmo é a causa primária da minha raiva

d) Que o sofrimento da outra pessoa, que regou a semente da minha raiva, é apenas a causa secundária.

e) Que a outra pessoa está apenas buscando alívio de seu próprio sofrimento.

f) Que, enquanto a outra pessoa sofrer, eu não poderei ser verdadeiramente feliz.

8) Pedirei desculpas imediatamente, sem esperar pela conversa agendada, assim que reconhecer a minha falta de habilidade e falta de plena consciência.

9) Caso eu não me sinta calmo o suficiente para encontrar quem me irritou, vou adiar a reunião.

Eu, que fiz com que outra pessoa sentisse raiva, concordo que:

1) Vou respeitar os sentimentos da outra pessoa, não irei ridicularizá-la, e concederei tempo suficiente para que ela se acalme.

2) Não vou insistir para que haja uma discussão imediata.

3) Aceitarei o pedido da outra pessoa para uma reunião, seja verbalmente ou por bilhete, e confirmarei a minha presença.

4) Se puder pedir desculpas, eu o farei imediatamente, em vez de esperar até o momento da reunião.

5) Praticarei a respiração e tomarei refúgio na minha ilha do self para ver:

a) Que eu também carrego sementes de raiva e grosseria, assim como a energia para deixar outra pessoa infeliz.

b) Que eu pensei, erroneamente, que fazer a outra pessoa sofrer traria alívio para o meu próprio sofrimento.

c) Que, ao fazer com que ele ou ela sofra, eu causo sofrimento a mim mesmo.

6) Pedirei desculpas assim que perceber a minha falta de habilidade e plena consciência, sem fazer nenhuma tentativa de justificar o meu comportamento, e farei isso antes da reunião agendada.

Nós, os funcionários deste ________________ (departamento) estamos plenamente determinados com a prática de restaurar a comunicação, a compreensão mútua e a harmonia em nosso meio, sempre que surgirem dificuldades.

Local e data:

Assinaturas:

Encarando a tempestade

Quando uma formação mental como a emoção intensa surge, dizemos a ela:"Você é apenas uma emoção". Uma emoção é algo que vem, fica por um tempo, e depois vai embora.

A nossa pessoa é composta por um corpo, emoções, percepções, formações mentais e consciência. O território é amplo. Você é muito mais do que apenas uma emoção. Esse é o *insight* que você conquista quando uma emoção forte surge. "Olá, minha emoção. Eu sei que você está aí. Eu vou cuidar bem de você." Você pratica a respiração abdominal profunda consciente, e sabe que é capaz de lidar com a tempestade que surgiu em você. Pode sentar em posição de lótus ou outra posição confortável no chão, ou então deitar-se. Coloque as mãos sobre o estômago e inspire muito profundamente, expire muito profundamente e atente para o movimento do seu abdômen. Interrompa todos os pensamentos. Apenas fique ciente da sua respiração e do movimento em seu corpo. "Inspirando, o meu abdômen está subindo. Expirando, o meu abdômen está descendo". Concentre-se completamente no subir e descer do seu abdômen. Interrompa todos os pensamentos, pois quanto mais você pensar naquilo que o chateou, mais forte a emoção se tornará.

Ao realizar esta prática não se permita ficar só no nível racional, dos seus pensamentos. Leve a consciência para baixo, para o nível da sua respiração, logo abaixo do umbigo. Apenas preste atenção no subir e descer do seu abdômen. Faça apenas isso, e você estará seguro. É como uma árvore em meio à tempestade: quando você olha para o topo da árvore, vê os galhos e as folhas balançando com força ao vento. Talvez você tenha a impressão de que a árvore vai quebrar, ou de que será levada pelo vento. Mas levando a atenção para o tronco da árvore, você percebe como ela é firme, e sabe que a árvore está bem enraizada na terra, e não pode ser levada pelo vento. Você sabe que a árvore vai resistir à tempestade. Então, quando estiver tomado pela tempestade das emoções fortes, não permaneça no topo da árvore, no nível dos pensamentos. Interrompa os pensamentos. Desça para o tronco, para o seu abdômen. Acolha o tronco e foque toda a sua atenção no subir e descer do abdômen, e você estará em segurança.

Não espere até que surja uma emoção forte para começar essa prática de respiração plenamente consciente, ou então você se esquecerá do que deve fazer no momento em que mais precisar. Precisamos começar a praticar agora mesmo, enquanto o céu está limpo e não há tempestades no horizonte. Se praticarmos por cinco ou dez minutos todos os dias, lembraremos com naturalidade da prática quando ela for necessária, e será possível sobreviver ao ataque de uma emoção forte com muita facilidade.

Os seus pensamentos, falas e ações carregam a sua assinatura

Imagine que você tem um colega com quem costuma trabalhar junto, e quer manter um bom relacionamento com ele. Existem algumas coisas que você pode fazer. A primeira é reparar em como você pensa sobre o seu trabalho, e os seus relacionamentos no trabalho.

O seu emprego pode envolver oferecer um serviço a outros, ou então produzir um objeto ou *commodity* que talvez você considere como sendo o propósito do seu trabalho. Mas, enquanto trabalha, você também está produzindo outras coisas: pensamentos, falas e ações.

Quando compositores e pintores criam obras de arte, eles sempre as assinam. Na vida cotidiana, os seus pensamentos, falas e ações também levam a sua assinatura. Se você tiver pensamentos corretos, carregados de compreensão, compaixão e *insight*, essa será uma boa obra de arte, e levará a sua assinatura. Caso seja capaz de produzir um pensamento cheio de compaixão e *insight*, ele será a sua criação, seu legado. Não é possível que o pensamento não carregue a sua marca, pois ele foi criado por você.

Tudo o que você diz é produto de quem você é e da sua maneira de pensar. Seja ele gentil ou cruel, o seu discurso leva sua assinatura. O que você diz pode causar muita raiva, desespero e pessimismo, e nesse caso também levará a sua assinatura. Não é bom produzir tanta negatividade. Com a plena consciência, você pode produzir um discurso que contenha compreensão, compaixão, alegria e perdão.

Quando você carrega paz e felicidade o suficiente dentro de si, tudo o que diz transmite esses elementos positivos aos outros, e ajuda a regar as boas sementes dentro deles, permitindo que estes elementos positivos também cresçam neles. Por sua vez, essas pessoas também saberão regar o que é positivo naqueles com quem eles falarem. Se um discurso cumprir apenas o propósito de reclamar sobre outra pessoa do trabalho, de expressar a sua raiva, frustração e violência, isso trará prejuízos para você e para aqueles ao seu redor. A conversa plenamente consciente é uma boa prática. Quando falamos, deveríamos estar atentos ao efeito que a nossa conversa tem sobre os outros.

Discurso amoroso

Usar o discurso amoroso significa falar com amor, compaixão e compreensão. Tentamos evitar palavras que culpem, ou critiquem. Tentamos não falar com julgamento, amargura ou raiva, pois sabemos que falar dessa maneira pode causar muito sofrimento. Falamos com calma, com compreensão, usando apenas palavras que inspirem confiança, alegria e esperança naqueles ao nosso redor.

O discurso amoroso convida as pessoas a se expressarem, e a expressarem as suas dificuldades. Devemos ser honestos, abertos e também sempre prontos para escutar. Quando escutamos atentamente com compaixão, compreendemos que tipos de percepções incorretas os outros podem ter sobre nós, ou mesmo sobre si mesmos. Da mesma forma, ao escutar com atenção podemos reconhecer que nós também formamos percepções incorretas sobre nós mesmos e os outros. A comunicação ajuda ambos os lados a removerem percepções incorretas e a conquistarem uma perspectiva mais clara um do outro, uma perspectiva que esteja mais próxima da verdade.

Mesmo se usamos o discurso amoroso, algumas pessoas podem responder com cinismo e suspeita, pois já tiveram experiências negativas no passado. Elas não confiam nos outros com facilidade. Não receberam amor e compreensão o suficiente. Elas suspeitam que o nosso amor e compaixão não sejam autênticos. Mesmo se realmente temos amor e compreensão para oferecer, essas pessoas continuam desconfiadas ou céticas. Muitas pessoas jovens não receberam compreensão e amor o suficiente de suas famílias, de seus pais, dos professores ou da sociedade. Elas não enxergam nada de belo, verdadeiro ou bom no mundo ao seu redor. Então começam a vagar, procurando algo em que acreditar, ansiando por amor e compreensão. Elas vagam como fantasmas famintos, sem nunca se satisfazerem.

Na tradição budista, o fantasma faminto é um espírito barrigudo que sempre tem fome. Apesar de suas barrigas serem amplas, eles não conseguem comer muito, pois têm gargantas estreitas, da largura de agulhas, então sua capacidade de engolir comida é muito pequena. Por terem gargantas tão pequenas, esses espíritos nunca conseguem comer até ficar satisfeitos. Podemos usar essa imagem para descrever o jeito das pessoas que estão famintas por amor e compreensão, mas cuja capacidade para receber amor e compreensão é muito pequena. Alguém assim precisa de ajuda para recuperar o tamanho natural da garganta, antes de receber a comida que você oferece. Esta é a prática da paciência, do amor, gentileza e compreensão contínuos. Ganhar a confiança dessas pessoas leva algum tempo. E até que isso aconteça, você não poderá ajudá-las. É por isso que, mesmo ao ser confrontado com cinismo, ceticismo ou desconfiança da parte de outros, você precisa continuar a prática sem se abalar.

Cada um de nós, independente de sermos psicoterapeutas, juízes, advogados, professores, policiais, cientistas, artistas ou programadores, pode tentar aplicar estas práticas de escuta profunda e discurso amoroso para melhorar a comunicação no ambiente de trabalho. Quando a boa comunicação é estabelecida, tudo se torna possível. A comunicação ajuda a remover percepções incorretas e mal-entendidos.

Escuta profunda

A escuta profunda consiste em escutar com compaixão. Mesmo se a outra pessoa estiver cheia de percepções incorretas, descriminação, acostumada a culpar, julgar e criticar os outros, você ainda consegue sentar-se com tranquilidade e escutar, sem interromper, sem reagir. Pois você sabe que, se puder escutar dessa maneira, a outra pessoa sentirá um alívio imenso. Você lembra que está escutando com apenas um propósito em mente: dar à outra pessoa uma chance de se expressar, pois até agora ninguém se deu ao trabalho de escutá-la. Agora você é um bodhisattva da escuta. Essa é uma prática de compaixão. Se puder manter a compaixão viva dentro de si enquanto escuta, você não vai ficar irritado. A compaixão o protege de ficar irritado ou nervoso quando ouve coisas que são injustas, cheias de acusações, amargura ou recriminação. É maravilhoso. Você consegue manter a compaixão viva dentro de si, pois sabe que, ao escutar dessa forma, está dando a alguém a chance de se expressar e de sentir-se compreendido. É tão simples. Você continua inspirando e expirando, e mantém a atenção. Praticando dessa forma, será possível escutar por muito tempo sem que a semente de raiva em você seja tocada.

Caso você sinta, em algum momento, que a raiva ou irritação estão começando a surgir, então saberá que a sua capacidade para a escuta compassiva não é forte o bastante. Mesmo assim, ainda pode praticar o discurso amoroso. Pode dizer: "Acho que não estou tendo um dia muito bom. Podemos continuar em outro momento, talvez depois de amanhã?" Não faça esforço demais. Se a qualidade da sua escuta não for boa, a outra pessoa perceberá, então não tente forçar.

Ao falar, você tem o direito de compartilhar tudo o que leva no coração, desde que use o discurso amoroso. No entanto, durante a fala, é possível que surja uma sensação de dor ou raiva, e talvez isso seja revelado na sua voz. Nesse caso, você saberá que a sua capacidade para o discurso amoroso não é boa o suficiente e poderá dizer: "Posso pedir uma chance para falar em outro momento? Hoje não estou tendo um bom dia". Em seguida você pode passar alguns dias praticando a respiração e a caminhada plenamente conscientes, para que se acalme e consiga praticar o discurso amoroso da próxima vez em que falar.

Reuniões com plena consciência

Reuniões podem ser uma fonte frequente de tensão, estresse e conflito, de forma que na Plum Village nós temos algumas práticas para ajudar a manter paz e harmonia durante as reuniões.

Antes de começarmos uma reunião, sentamos com calma e voltamos para nós mesmos. Escutamos o soar do sino, que nos ajuda a voltar para a nossa respiração e o momento presente, acalma os nossos corpos e mentes, e ajuda a abrir mão das preocupações. Em seguida, lemos um texto que nos lembra de usar o discurso amoroso e a escuta profunda – honrar, respeitar e nos mantermos abertos às perspectivas dos outros, e de praticar o desapego das nossas próprias opiniões. Sabemos que a harmonia da comunidade é o elemento mais importante para a nossa felicidade coletiva, e que se estivermos muito apegados às nossas perspectivas atuais, ou se tentarmos impor essas perspectivas a outras pessoas, criaremos sofrimento. Então temos a prática de adotar uma postura aberta e dar ouvidos às experiências e *insights* dos outros. Convidamos todos a expressarem as suas ideias, e chegamos a um consenso apenas depois de todos serem ouvidos. Sabemos que o *insight* e a sabedoria coletiva da Sangha são maiores do que a sabedoria de qualquer indivíduo único. Se não conseguirmos alcançar um consenso, concordamos em discutir a questão novamente em outro momento.

Durante a reunião, praticamos o discurso amoroso e a escuta profunda. Deixamos uma pessoa falar por vez, e nunca interrompemos. Enquanto uma pessoa fala, todos os outros praticam a escuta profunda, tentando compreender o que a pessoa quer dizer. A escuta profunda significa ouvir com atenção o que o outro está dizendo e também o que está sendo deixado sem dizer. Nós praticamos o ouvir sem julgar nem reagir. Não nos deixamos levar por duelos verbais. Falamos com base em nossa própria experiência, e nos dirigimos ao grupo inteiro. Qualquer pergunta é feita abertamente, para que o grupo inteiro a contemple e responda. Talvez seja útil ler o seguinte texto antes de começar uma reunião, ou adaptá-lo para atender às suas necessidades.

Meditação antes de uma reunião

Estamos comprometidos a conduzir essa reunião com um espírito de coletividade, revisando todas as ideias e as consolidando na forma de uma compreensão harmoniosa – um consenso. Estamos comprometidos a usar o discurso amoroso e a escuta profunda para que a reunião seja bem-sucedida. Não vamos hesitar em compartilhar as nossas ideias e *insights*, mas vamos nos abster de falar enquanto a irritação estiver presente. Estamos determinados a não deixar que a tensão se acumule nesta reunião. Se alguém sentir alguma tensão surgindo, vamos parar no mesmo instante e voltar à nossa respiração, de forma a restaurar um clima de unidade e harmonia.

Também há ocasiões em que nos sentamos juntos em reunião, mas não falamos sobre trabalho. Temos uma reunião semanal chamada de "reunião da felicidade", que dura cerca de uma hora, durante a qual ninguém fala sobre trabalho – apenas lembramos uns aos outros que temos, disponíveis, condições mais do que suficientes para a felicidade; que não precisamos buscar mais condições para a felicidade no futuro. Sentarmo-nos juntos nos lembra que temos muita sorte. Podemos tomar uma xícara de chá e prover sustento uns aos outros com a nossa presença, e a prática da plena consciência. Podemos compartilhar alguma história sobre uma experiência positiva que tivemos recentemente. Regamos as sementes da felicidade que existem em nós, e apreciamos a companhia uns dos outros. Vemos as qualidades positivas nos outros e expressamos a nossa gratidão. Sentimos muita felicidade, e muita sorte pela oportunidade de nos sentarmos juntos.

Sentar-se em grupo dessa forma e apreciar a presença dos companheiros é possível em qualquer ambiente de trabalho. Muitas dessas práticas podem ser realizadas no cotidiano de um negócio ou empresa.

4
Indo para casa

Eu cheguei, estou em casa

Quando chegamos em casa, muitas vezes estamos cheios de estresse e tensão que acumulamos durante o dia de trabalho. Os nossos corpos estão sofrendo, pois foram forçados a trabalhar muito duro – não cuidamos muito bem deles. O corpo absorveu muitas toxinas das coisas que consumimos, e da forma como nos alimentamos, bebemos e trabalhamos demais. Talvez seja bom observar o nosso estado quando chegamos em casa, e pensar em como podemos fazer para liberar a tensão e as toxinas no corpo.

Imagine que você trabalha até muito tarde. Talvez questione: "Por que eu tenho de ficar aqui até essa hora, enquanto as outras pessoas já estão se divertindo, ou na própria casa, dormindo?" Pensar no seu trabalho dessa maneira pode torná-lo muito difícil. Se continuar assim, talvez você fique ressentido, privado de energia e sustento. Depois do trabalho você vai direto para casa dormir, pois está cansado demais. Caso viva com outras pessoas, essa exaustão pode cobrar um preço alto dos seus relacionamentos e da vida familiar. Mas se você souber a prática da plena consciência, será capaz de transformar as longas horas no trabalho em uma experiência positiva e energizante.

Quando você chega na Plum Village há uma placa em que se lê:"Eu cheguei. Estou em casa". Talvez você também queira deixar uma placa assim na sua porta da frente, como um lembrete gentil de que não precisa mais correr atrás de nada. Você não chega em casa só para dormir e sair novamente, mas sim para apreciar estar em casa, aproveitar a companhia da sua família ou daqueles com quem você vive, e restaurar a sua energia. Quando você chega em casa, pode chegar com calma, sentindo que tem tempo para estar presente, para si mesmo e aqueles ao seu redor.

Voltando para casa e para nós mesmos

Se você está trabalhando muito e sentindo-se estressado, provavelmente há uma falta de comunicação em você – entre o seu corpo e a sua mente. O seu corpo e consciência podem estar tentando lhe dizer algo há muito tempo, mas talvez você ande ocupado demais para escutar direito.

Muitas pessoas têm pouca prática em escutar os próprios corpos. O primeiro passo que cada um de nós deve dar quando queremos voltar para casa é levar a atenção para dentro, e perceber o que está ocorrendo com o corpo e as emoções. O corpo é o nosso primeiro lar. Não vamos conseguir nos sentir à vontade no mundo externo se não estivermos à vontade dentro do nosso próprio corpo.

O que está nos impedindo de voltar para casa? Muitas vezes, o nosso lar interno não parece muito confortável – parece bagunçado demais, cheio de sentimentos difíceis, e não gostamos de passar muito tempo lá. Mas precisamos voltar para o nosso lar interno e tomar conta desses sentimentos. Não precisamos ter tudo resolvido antes de voltarmos para casa. Mesmo se você tiver apenas a consciência do momento presente e a intenção de retornar ao seu corpo, isso é mais do que o suficiente; você já é um Buda de meio período. Talvez você tenha transformado apenas 1 ou 2% do sofrimento que carrega, mas já pode se alegrar, pois agora encontrou uma forma de fazê-lo.

O segundo passo é praticar com a sua família e as pessoas ao seu redor. Você não precisa esperar até ter transformado todo o seu sofrimento para ser capaz de ajudar a sua família. Use o discurso amoroso e a escuta profunda ao se comunicar com os seus pais, seu cônjuge e seus filhos. Se possível, convide todos a acompanhá-lo no caminho de transformação e de cura, pois a família deveria ser a fundação de apoio para a sua prática. Sem o apoio da família, do cônjuge e dos filhos, é mais difícil tornar-se plenamente consciente.

Você pode se tornar um membro ativo da família com a prática de voltar para casa. Há famílias nas quais ninguém sente que faz parte de uma família; não existe uma fundação sólida. É como um hotel onde as pessoas apenas vêm e vão, voltando para casa apenas para dormir; e cada um tem sua própria vida, sem comunicação ou apoio mútuo. A prática de voltar para o lar em nós mesmos vai nos ajudar a reconstruir a família e a transformá-la em um organismo vivo. Quando houver atenção, transformação e alegria suficiente dentro da família, você e os seus parentes vão se tornar uma fonte de força e apoio para a comunidade mais ampla.

Estar presente

Muitos de nós tentamos nos dividir em várias partes, pois sentimos que não temos tempo suficiente. Imaginamos que damos 80% de nós mesmos ao trabalho, 10% para a família, 5% para os amigos e 2% para empreitadas beneficentes. Mas se você agir dessa forma, nunca vai estar presente em lugar nenhum, para ninguém. Onde quer que você esteja, você pode estar lá 100%. Você pode estar completamente presente.

Jardineiros não podem jardinar a menos que estejam fisicamente presentes no jardim, cuidando das diferentes flores, árvores, vegetais e gramíneas. Se houver flores que murcharam ou galhos que se partiram, ou se houver ervas daninhas, grama alta ou folhas caídas, um bom jardineiro saberá como transformar essa matéria vegetal decadente em um composto rico que pode nutrir as árvores e as flores. O nosso corpo, nossos sentimentos e percepções, a nossa mente e consciência, tudo isso forma o nosso jardim, e precisamos estar completamente presentes para trabalhar no jardim, assim como o jardineiro que rega, capina e transforma.

Precisamos estar presentes para nós mesmos. Imagine um país sem governo, sem um presidente, rei ou rainha. Não haveria ninguém para tomar conta de um país assim. Todos os países precisam ter alguma forma de governo. O mesmo vale para nós. Precisamos estar presentes em nosso próprio "país" para cuidar de nós mesmos, para ser o rei, a rainha ou o presidente. Precisamos saber o que é belo e precioso e deve ser protegido, assim como devemos saber o que não é belo e deve ser reparado ou removido. Precisamos estar presentes, e não fugir das nossas responsabilidades. Existem, no entanto, pessoas que não querem ser o rei; elas não querem assumir tal responsabilidade, desejam apenas fugir, pois é cansativo demais ser o rei.

Nós fugimos de muitas maneiras. Fugimos assistindo televisão, lendo o jornal, entrando na internet, jogando *videogames* ou escutando música. Não queremos voltar para a nossa terra. Somos reis ou rainhas que se recusam a aceitar a responsabilidade de governar o nosso próprio Estado. Mas precisamos tomar ciência dessa responsabilidade; precisamos assumir o papel de governante, voltar para casa e cuidar bem de nós mesmos.

Parte de cuidar bem de nós mesmos é saber que temos limitações, e que não podemos fazer tudo. Os nossos corpos e a nossa energia são limitados. Como professor, eu também tenho limites. Eu gostaria de conseguir viajar para todos os lados e ensinar em todos os lugares de onde recebo convites. Mas se eu me permitisse fazer isso, apesar do meu desejo de ajudar tantas pessoas quanto possível, eu morreria mais cedo de exaustão, pois a demanda é grande demais, e meu corpo e saúde são limitados. Precisamos aprender a dizer não para nos preservar, assim podemos continuar a viver e trabalhar por mais tempo.

Você precisa reconhecer que tem os seus limites. Você tem inteligência mais que suficiente para descobrir os seus limites e adotar uma rotina de trabalho que responda às suas verdadeiras necessidades, para o seu bem e o bem da sua família e comunidade.

Espaço para respirar

Da mesma forma que você precisa ter um lugar no trabalho para respirar um pouco, como uma sala de repouso ou um espaço no seu escritório, ou mesmo um canto da sua mesa, em casa você também precisa de espaço para respirar – um lugar calmo e tranquilo, onde você possa apreciar a sua respiração e voltar a si mesmo, um espaço no qual seja possível nutrir as suas necessidades e cultivar a alegria. Talvez você possa preparar uma pequena mesa com algumas flores e uma vela, e apreciar ficar sentado em frente à mesa, sozinho ou com os seus parentes.

Ao chegar em casa, talvez você tenha muito trabalho doméstico ou outras atividades para fazer, mas é importante separar alguns instantes depois de chegar para simplesmente sentar-se e respirar um pouco. Isso é restaurador, e vai ajudá-lo a cumprir qualquer tarefa necessária com mais leveza, atenção e alegria.

Sentando juntos

Nos tempos do Buda, centenas de monges iam visitá-lo para receber ensinamentos. Às vezes, eles chegavam tarde da noite, e um dos assistentes do Buda os convidava a entrar e sentar-se com o Buda e sua Sangha. Às vezes, discípulos do Buda caminhavam por um mês inteiro antes de chegar ao lugar onde o Buda estava alojado. Eles não tinham telefones para anunciar que estavam a caminho, então era comum chegarem sem ser aguardados. Uma vez, centenas desses monges viajantes vieram e sentaram-se tranquilamente com o Buda até a meia-noite, quando Ananda, assistente do Buda, aproximou-se de seu mestre com cautela e disse: "Lorde Buda, é meia-noite. Você gostaria de ensinar algo aos monges?" Finalmente o Buda olhou para Ananda, e perguntou: "Ananda, sobre o que você quer que eu fale? Já não é suficiente podermos sentar juntos? Já existe felicidade o bastante nisso. O que precisamos dizer?"

Sentar-se junto a outras pessoas já é o suficiente para nos trazer felicidade. Quando sentamos com atenção, estamos realmente disponíveis para o momento presente. Já voltamos para casa, e chegamos de verdade. Se você separar um tempo e um espaço onde mora para sentar-se assim, com paz e tranquilidade, vai perceber que voltar para casa se tornará mais prazeroso.

Tarefas domésticas

Quando voltamos para casa do trabalho, muitas vezes queremos apenas descansar. Vemos as tarefas domésticas – cozinhar, arrumar e limpar – como outra forma de trabalho. Já passamos o dia inteiro trabalhando, não queremos mais. Mas se tivermos tempo para repousar e relaxar, para recuperar a energia, então podemos ver essas coisas como atividades que trazem alegria, em vez de tarefas que se acumulam na lista de afazeres, aumentando ainda mais o estresse.

Apenas ficar sentado é mesmo maravilhoso, mas não é necessário sentar para ser feliz. Também é possível ser feliz varrendo o chão. Imagine se você não tivesse um lar. Muitas pessoas não têm um lar para manter limpo. Mas você tem. Você sente-se muito feliz por ter um chão para varrer. Cozinhar, varrer, passar o aspirador e limpar pode nos trazer muita felicidade.

Existem pessoas que pensam: "Como é possível me sentir feliz limpando o banheiro?" Mas nós temos sorte por ter um banheiro para limpar. Quando eu era um monge novato no Vietnã, nós não tínhamos banheiros. Eu vivia em um templo com cem pessoas e nenhum banheiro. Mesmo assim, conseguimos sobreviver. Ao redor do templo havia arbustos e colinas, então nós subíamos a colina. Não havia rolos de papel higiênico no topo da colina – você precisava levar folhas secas de banana, ou torcer para encontrar algumas folhas lá na colina. Quando eu era criança e vivia em casa, antes de me tornar monge, nós também não tínhamos banheiro. Poucas pessoas eram ricas o bastante para ter banheiros. Todos os outros precisavam ir até os arrozais, ou subir nas colinas. Naquela época, éramos vinte e cinco milhões de pessoas no Vietnã, a maioria sem banheiros. Ter um banheiro para limpar é o suficiente para nos deixar felizes.

Cada tarefa que assumimos em casa pode ser uma oportunidade de praticar atenção e gratidão dessa maneira. Cozinhar se torna uma fonte de felicidade, pois sabemos que temos uma cozinha, um fogão e alimento para cozinhar, comida para nos nutrir.

Talvez uma das razões pelas quais não apreciamos todas essas atividades tanto quanto poderíamos seja por pensarmos que atividades precisam ser entusiasmantes para que possam ser apreciadas. Muitas pessoas confundem alegria e felicidade com entusiasmo. Mas entusiasmo não é o mesmo que felicidade. Com felicidade e alegria surge um senso de satisfação. Existe uma satisfação em estar no aqui e agora, quando você reconhece que tem tantas condições para a felicidade no momento presente, independente de estar sentado, caminhando, em pé ou trabalhando. Se você puder reconhecer isso, conseguirá gerar um sentimento de felicidade a qualquer momento. Você pode lembrar os outros com a sua plena consciência. Talvez eles também comecem a gostar de cozinhar e limpar. Essas atividades se tornam ainda mais prazerosas quando podemos fazê-las juntos.

5
Uma nova maneira de trabalhar

De acordo com o modelo de negócios tradicional em muitos países ocidentais, a competição é a única maneira de conquistar sucesso. Nós pensamos que somos poderosos quando estamos mais competitivos, e acreditamos que só poderemos ter sucesso se outros falharem. Mas quando alguém vence, outra pessoa perde e sofre. A competição é isso. Comparar-se com os outros: "Eu sou melhor que você". Esse tipo de pensamento só pode reforçar a mente da discriminação e os nossos complexos de superioridade, inferioridade ou igualdade. Quando perdemos, sofremos, pois pensamos que isso significa que outra pessoa é melhor do que nós. Mas se olharmos com atenção, veremos que esse pensamento está fundamentado em uma falsa distinção entre o self e os outros. Se continuarmos pensando dessa maneira, seguiremos na direção da autodestruição.

É muito claro que, na competição, ninguém vence. Aqueles que lutam para ser os melhores, para chegar ao topo, têm de trabalhar muito duro para conquistar isso, e enquanto o fazem sofrem muito. Quando essas pessoas chegam ao topo, elas precisam continuar se empenhando para continuar lá, e com frequência sofrem de imenso estresse e adquirem a Síndrome de Burnout. Se continuarmos vivendo assim, seguiremos não apenas para autodestruição, mas também para a destruição do nosso planeta. É por isso que precisamos despertar; precisamos de um imenso despertar coletivo para mudar o rumo da nossa civilização, ou então destruiremos uns aos outros, os nossos amados, e os recursos naturais da Terra. Nessa competição não pode haver vencedor. Todos vão perder. Manter uma distinção entre o self e os outros causa muito sofrimento. A sabedoria da não discriminação e o *insight* da ligação entre os seres (*interbeing*) pode nos ajudar a entender que você está em mim, e eu estou em você.

Quando fui ordenado monge novato, o meu professor me mostrou como curvar-se perante o Buda. Nós recitamos um verso: "Aquele que se curva e aquele para quem outro se curva são ambos, por natureza, vazios". Isso significa vazios de um self separado. Nós não deveríamos ser orgulhosos. Eu sou composto de elementos que não são eu, e que compartilho com você. E você é composto de elementos que não são você, e que compartilha comigo. Então, se você competir com outros seres, também estará competindo consigo mesmo.

Isso não significa, no entanto, que somos todos iguais. Quando olhamos para algo como uma flor, mesmo se ambos olharmos para a mesma flor, a forma como a percebemos pode ser diferente. Todos têm a sua própria maneira de ver. Nós não devemos tentar levar outras pessoas a pensarem da mesma forma que nós, ou fazerem as coisas da mesma forma que nós. O que queremos é um pensamento que seja produtivo, que traga mais compreensão e compaixão, e que gere mais paz. Todos nós queremos mais alegria, paz e liberdade. A forma pela qual produzimos essas coisas maravilhosas pode variar, mas não precisamos competir uns com os outros para obtê-las. Só conseguiremos mais dessas coisas se trabalharmos juntos, cada um à própria maneira, como parte de um todo.

Os três poderes

Muitos pensam que, se tivessem muito poder, poderiam fazer o que quisessem, e isso os deixaria muito felizes. Muitas pessoas têm algum tipo de poder, mas não sabem como fazer uso dele, então fazem mau uso e causam sofrimento para si e para aqueles ao seu redor. Dinheiro é um tipo de poder. Fama é um tipo de poder. Armas são um tipo de poder. Um forte exército é um tipo de poder. Muito sofrimento já foi causado no mundo porque as pessoas usam mal o poder que têm. Elas fazem isso, pois não têm o poder de serem elas mesmas.

Na tradição budista, falamos de três poderes. Esses são muito diferentes do poder da fama, riqueza ou competição. Esses três tipos de poder podem tornar uma pessoa feliz. Se você tiver esses três poderes, então os outros tipos de poder, como ter dinheiro, fama, um exército ou armas, nunca vão se tornar destrutivos.

O primeiro poder: compreensão

O primeiro tipo de poder é o poder da compreensão. Nós deveríamos ter a capacidade de cultivar o poder de compreender o nosso próprio sofrimento, e o sofrimento dos outros.

Esse tipo de compreensão gera compaixão, e a compaixão reduz o sofrimento. Ao compreender, você para de sentir raiva, e perde o desejo de punir alguém. Compreender é um grande poder. Ele fomenta a compaixão.

Quando você tem compreensão suficiente, pode abrir mão de todo o seu medo, raiva e desespero. Compreender significa compreender as raízes do sofrimento que existe em você, nos outros e no mundo. Nós usamos a energia da plena consciência e da concentração para observar profundamente a natureza do nosso sofrimento, de forma a conquistar compreensão. No budismo, não falamos de salvação em termos de graça divina. Nós falamos de salvação em termos de compreensão. A compreensão é como uma espada capaz de decepar as aflições da raiva, do medo e do desespero.

O segundo poder: amor

Se você puser um punhado de sal numa tigela de água e agitar a tigela, a água ficará salgada demais para ser tomada. Mas se você jogar o mesmo tanto de sal em um rio imenso, o punhado de sal não poderá tornar o rio salgado. O poder do amor é como o rio. Quando o seu coração cresce, ele pode acomodar todas as pessoas. Quando o seu coração está cheio de amor, as pequenas irritações são como o punhado de sal jogado no rio. Elas não o incomodam, e você deixa de sofrer.

A energia do amor pode liberá-lo, e também ajudar a liberar as pessoas ao seu redor que estão sofrendo. Existem duas maneiras de responder às dificuldades que você tem com outros. A primeira maneira é sentindo desejo de punir a pessoa que você acredita ser responsável pelo seu sofrimento. Você acredita ser uma vítima da outra pessoa, e tende a desejar punir essa pessoa, pois ela ousou fazê-lo sofrer. Talvez você se sinta tentado a retaliar, e punir. Mas é claro que, quando a outra pessoa for punida, ela vai sofrer e querer retaliar, punindo você de volta. É assim que a situação se agrava. Aqui está outra forma de responder. Você pode responder ao sofrimento com o poder do amor. Observando com atenção, você percebe que a pessoa que causou o seu sofrimento também está sofrendo muito. Essa pessoa sofre muito com percepções incorretas, raiva e medo. Ela não sabe lidar com o sofrimento que carrega. Se ninguém lhe oferecer amor e compreensão, essa pessoa vai se tornar vítima de seu próprio sofrimento. Se você observar com atenção, com olhos amorosos, e conseguir enxergar isso, a compaixão nascerá em seu coração. Quando a compaixão nasce em seu coração, você para de sofrer, e pode amenizar o sofrimento dos outros.

O terceiro poder: abrir mão

O terceiro poder consiste na capacidade de afastar-se e abrir mão das suas aflições: da cobiça, da raiva, do medo e do desespero. Conquistando o poder de decepar todos esses tipos de aflições, você se torna uma pessoa livre, e não há poder maior no mundo. Quando você é livre, pode ajudar muitas pessoas a sofrerem menos.

Todos carregamos a energia da cobiça, mas podemos cultivar o poder de eliminar esse tipo de energia. Sabemos que o objeto de nossa cobiça já nos trouxe muito sofrimento, e também causou sofrimento nas pessoas ao nosso redor. A plena consciência, a concentração e a compreensão nos dão o poder de superar o vínculo que temos com as nossas aflições. No começo, você acredita que o objeto de sua cobiça é essencial para o seu bem-estar e felicidade, e se permite ficar sob o poder da cobiça. Mas, se olhar com atenção, vai reconhecer que esses objetos de cobiça não são condições verdadeiras para a sua felicidade. Se você for capaz de ver isso, e se puder cultivar os poderes do amor e da compreensão, então você se tornará realmente poderoso.

Os três poderes no mundo dos negócios

Outros tipos de poder – dinheiro, fama, sexo e riqueza – podem transformá-lo numa vítima e fazer com que você machuque outros. Mas os três poderes do amor, da compreensão e de abrir mão nunca irão fazê-lo sofrer, e nunca o levarão a fazer outras pessoas sofrerem. Esses três poderes reais só podem deixar você mais feliz, e ajudá-lo a criar felicidade para outras pessoas. Qualquer que seja a sua profissão, cada dia traz uma oportunidade para cultivar o poder de compreender o sofrimento; o poder de aceitar, amar e perdoar; e o poder de eliminar e transformar as suas aflições.

Imagine que você é um líder no mundo corporativo. Você quer ser bem-sucedido em sua profissão. Se souber como cultivar esses três tipos de poder, você nunca fará mau uso do poder que já tem em mãos, seja ele dinheiro, fama ou outros tipos de recursos. Você não irá mais sentir vontade de punir, ou destruir. Você saberá como conduzir a sua carreira de forma a proteger o meio ambiente e todos os seres vivos. Você não fará mau uso do poder que tem nas mãos.

Se você quiser praticar os três poderes enquanto mantém uma carreira financeiramente bem-sucedida, a primeira coisa que precisa fazer é voltar para si mesmo. Se você quiser ir longe e conquistar os seus sonhos, antes precisa aprender a cuidar de si mesmo. Todos nós deveríamos aprender a arte da respiração e da caminhada plenamente conscientes, para trazer as nossas mentes de volta ao corpo. Com a prática da plena consciência, podemos nos liberar da preocupação e do medo acerca do futuro, e também dos arrependimentos e pesares acerca do passado. Com a energia da plena consciência e da concentração, podemos ouvir o nosso próprio sofrimento e transformá-lo.

É só quando conseguimos criar harmonia, amor e felicidade dentro de nós mesmos que podemos desenvolver bem a nossa profissão. Pode haver muita frustração, raiva e mal-entendidos na empresa. Diretores, empregadores e empregados podem estar sofrendo. Se você não estiver feliz consigo mesmo, se não estiver sentindo leveza o suficiente, não será possível conduzir o seu negócio, carreira ou empresa com felicidade e sucesso. Se você cultivar os poderes da compaixão e compreensão, poderá ouvir todas as pessoas que trabalham em sua empresa com compaixão, amor e compreensão, e ajudar os seus funcionários a sofrerem menos. Parte de ser um bom líder no mundo dos negócios é ter tempo para sentar e escutar os outros. Quando uma pessoa sente que você a compreende e apoia, ela se torna sua aliada, e não apenas um funcionário. O tempo que você passa dando ouvidos a todas as pessoas em sua empresa não é tempo perdido. Esse tempo transforma a sua empresa em algo muito maior do que um negócio – algo maravilhoso que pode ser muito saudável para você e para todos os funcionários.

Equilibrando felicidade e lucro: quatro modelos de negócio

Eu penso que os negócios, empresas e corporações têm a possibilidade de focar mais na felicidade e bem-estar, e não apenas no lucro. Na Plum Village, nós focamos na felicidade. É por isso que temos bastante tempo para cuidar de nós mesmos. Esse tempo é necessário, pois se não nos cuidarmos bem, não seremos capazes de cuidar dos outros. Se não houvesse esse foco na felicidade, se o nosso único foco fosse lucro, isso resultaria em sofrimento.

É possível criar um modelo de negócios focando apenas na felicidade, mas a empresa também precisa ter uma fonte de renda, ou outra forma de sustento. Então podemos ter um modelo que coloque muita ênfase na felicidade, mas também coloque alguma ênfase no lucro. Um terceiro modelo foca apenas no lucro, e nesse caso não há felicidade. Por fim, existem alguns modelos de negócios que são desprovidos de felicidade e de lucro. Esse modelo de negócios não dura muito! A nossa empresa pode nos trazer muito lucro, mas não deveríamos sacrificar a felicidade em troca disso. Não é bom ser parte de uma empresa que gera muito lucro, mas é desprovida de felicidade. Se focamos em gerar lucro dessa forma, acabamos destruindo a nós mesmos, o meio ambiente, a nossa felicidade e a felicidade de outros seres vivos. No entanto, se focarmos nos três poderes da compreensão, do amor e de abrir mão, então a felicidade seguirá. Talvez o lucro também venha, mas nunca às custas da felicidade.

Uma nova ética de trabalho

Sendo um indivíduo, talvez você siga o seu próprio código de conduta. De forma similar, talvez a sua família e o seu ambiente de trabalho adotem algumas práticas, ou códigos de ética, que os oriente como família ou como comunidade. Vocês podem ter combinado de sentar juntos antes das refeições em casa, ou antes das reuniões no trabalho. Talvez vocês tenham combinado que, se alguém estiver irritado, deve sentar-se com calma e tranquilidade antes de falar com outra pessoa. Esses acordos mútuos podem protegê-lo e fortalecê-lo, assim como à sua família e àqueles com quem você trabalha.

Para que um ambiente de trabalho funcione bem deve haver um código de conduta que todos estejam dispostos a aceitar. O seu emprego pode consistir em supervisionar funcionários enquanto eles trabalham, mas isso não significa que você pode dar ordens ou criar regras, forçando as pessoas a obedecerem. Isso não funciona. Se você estiver engajado em uma disputa de poder com outros, a equipe nunca será capaz de se unir com alegria, como um organismo ou uma comunidade. Você não terá um ambiente de trabalho feliz ou harmonioso. Como professor, eu não uso a minha autoridade para forçar alunos a fazerem o que eu quero que eles façam. Usar autoridade não funciona. Em vez disso, eu sento junto aos meus alunos e tento ajudá-los a ver que a negatividade em seus discursos, comportamentos ou ações não está gerando felicidade, nem para eles, nem para a comunidade.

A compreensão é a própria fundação do amor. Se você não compreender as dificuldades, dores, sofrimentos e aspirações mais profundas das outras pessoas, não será capaz de cuidar bem delas, ou de torná-las mais felizes. Dessa forma, compreender é amar. Você se dá ao trabalho de olhar com atenção e compreender as raízes do seu próprio sofrimento, das suas próprias dores e pesares? Você consegue tratar a si mesmo com compaixão? Se não conseguir, como pode ter compreensão e compaixão ao se relacionar com outros? Desenvolver compaixão e compreensão pode promover um código de conduta que torne o seu ambiente de trabalho harmonioso, feliz e pacífico.

Ao começar em um emprego novo, você se torna parte de uma cultura vigente de trabalho. Essa cultura pode ser respeitosa em relação às pessoas e suas ideias, ou pode ser desrespeitosa. Talvez ninguém se sinta responsável pela cultura vigente no próprio ambiente de trabalho, pensando que as coisas são dessa forma e não podem ser alteradas. Mas isso não é verdade. A plena consciência nos dá a oportunidade de pensar sobre como queremos trabalhar junto com os outros, e como podemos criar um código de ética em nosso ambiente de trabalho. Quando enxergamos aqueles ao nosso redor como seres humanos, conseguimos perceber que compartilhamos com eles metas, esperanças e atitudes éticas em comum.

Praticando os cinco treinamentos de plena consciência

Na Plum Village nós desenvolvemos os cinco treinamentos da plena consciência, que representam a nossa visão de uma ética e espiritualidade globais. Não são treinamentos fundamentados nos mandamentos de qualquer religião, mas sim uma compreensão acerca do que pode trazer saúde e felicidade mútua para todos nós. Os cinco treinamentos da plena consciência são muito relevantes no mundo do trabalho atual – eles podem servir como base para modelar a ética de trabalho em sua empresa. Seguindo essas orientações, você contribui não apenas para a sua própria felicidade e bem-estar, como também para a felicidade e bem-estar dos seus colegas de trabalho e de todas as pessoas com quem você convive, e isso terá um efeito benéfico sobre o mundo inteiro.

O primeiro treinamento de plena consciência consiste em preservar e proteger a vida. O segundo treinamento é a prática da felicidade verdadeira – o tipo de felicidade que não destrói nem você nem o meio ambiente. O terceiro treinamento trata de amor verdadeiro. O amor verdadeiro é o tipo de amor que cria apenas alegria e felicidade. O quarto treinamento de plena consciência consiste na prática da escuta profunda e do discurso amoroso, de forma a restaurar a comunicação. O quinto treinamento de plena consciência é a prática do consumo plenamente consciente. Nós praticamos consumir de uma maneira que preserve a nós mesmos, a todas as espécies e ao planeta inteiro.

Os cinco treinamentos de plena consciência

Veneração à vida

O primeiro treinamento de plena consciência

Ciente do sofrimento que é causado pela destruição de vidas, eu estou comprometido a cultivar os *insights* da ligação entre os seres e da compaixão, e a aprender formas de proteger a vida das pessoas, dos animais, das plantas e dos minerais. Eu estou determinado a não matar, não permitir que outros matem, e não apoiar qualquer ato de assassinato no mundo, seja por meio do meu pensamento ou do meu estilo de vida. Percebendo que as ações danosas nascem da raiva, do medo, da ganância e da intolerância, que, por sua vez, vêm do pensamento dualístico e discriminativo, eu vou cultivar a abertura, a não discriminação e o desapego dos pontos de vista, de forma a transformar a violência, o fanatismo e o dogmatismo em mim mesmo e no mundo.

Felicidade verdadeira

O segundo treinamento de plena consciência

Ciente do sofrimento causado pela exploração, injustiça social, roubos e opressão, eu estou comprometido a praticar a generosidade em meu pensamento, discurso e ações. Estou determinado a não roubar nem possuir nada que devesse pertencer a outros, e vou compartilhar o meu tempo, energia e recursos materiais com aqueles que estão em necessidade. Vou praticar observar com atenção para enxergar que a felicidade e o sofrimento dos outros não estão separados da minha própria felicidade e sofrimento; que a felicidade verdadeira não é possível sem compreensão e compaixão; e que perseguir riquezas, fama, poder e prazeres sensuais pode trazer muito sofrimento e desespero. Eu estou ciente de que a felicidade depende da minha atitude mental, e não de condições externas, e que posso viver com felicidade no momento presente ao lembrar que já tenho condições mais que suficientes para ser feliz. Eu me comprometo a praticar a Vida Correta, de forma que possa ajudar a reduzir o sofrimento dos seres humanos na Terra e a reverter o processo de aquecimento global.

Amor verdadeiro

O terceiro treinamento de plena consciência

Ciente do sofrimento causado pela má conduta sexual, eu me comprometo a cultivar responsabilidade e a aprender maneiras de proteger a segurança e integridade dos indivíduos, casais, famílias e da sociedade. Sabendo que o desejo sexual não é amor, e que a atividade sexual motivada pela cobiça sempre prejudica a mim mesmo e aos outros, estou determinado a não me engajar em relações sexuais sem amor verdadeiro e um compromisso profundo e de longo prazo, que deve ser compartilhado com os meus familiares e amigos. Eu farei tudo que posso para proteger crianças de abuso sexual e evitar que casais e famílias sejam rompidas pela má conduta sexual. Vendo que o corpo e a mente são um, estou comprometido a aprender formas apropriadas de cuidar bem da minha energia sexual e a cultivar a gentileza amorosa, compaixão, alegria e união – os quatro elementos básicos do amor verdadeiro – pela minha maior felicidade e também pela maior felicidade dos outros. Praticando o amor verdadeiro, nós sabemos que o futuro será belo.

Discurso amoroso e escuta profunda

O quarto treinamento de plena consciência

Ciente do sofrimento causado pelo discurso negligente e pela inabilidade de ouvir os outros, eu me comprometo a cultivar o discurso amoroso e a escuta compassiva, de forma a aliviar sofrimento e promover reconciliação e paz em mim mesmo e entre outras pessoas, grupos religiosos e étnicos, e nações. Sabendo que palavras podem criar felicidade ou sofrimento, estou determinado a falar com honestidade, usando palavras que inspirem confiança, alegria e esperança. Quando a raiva estiver presente em mim, estou determinado a não falar. Vou praticar a respiração e caminhada plenamente conscientes para reconhecer e olhar atentamente para a minha raiva. Eu sei que as raízes da raiva podem ser encontradas nas minhas percepções incorretas e na falta de compreensão do sofrimento que há em mim mesmo e na outra pessoa. Vou falar e escutar de tal forma que possa ajudar a mim mesmo e ao outro a transformar o sofrimento, e encontrar a solução para situações difíceis. Estou determinado a não divulgar notícias cuja veracidade desconheço, e a não pronunciar palavras que possam causar divisão ou discórdia. Eu vou praticar a Diligência Adequada para nutrir a minha capacidade de compreensão, amor, alegria e união, e gradualmente transformar a raiva, violência e medo que jazem no fundo da minha consciência.

Nutrição e cura

O quinto treinamento de plena consciência

Ciente do sofrimento que é causado pelo consumo negligente, eu estou comprometido a cultivar boa saúde, tanto física como mental, para mim mesmo, minha família e minha sociedade, por meio da prática de plena consciência na alimentação, ingestão de líquidos e no consumo. Eu vou praticar a observação atenta da forma pela qual eu consumo os Quatro Tipos de Nutrimentos, que são a comida, as impressões sensoriais, a volição e a consciência. Estou determinado a não participar de jogos de azar e nem usar álcool, drogas ou qualquer outro produto que contenha toxinas, como determinados websites, jogos eletrônicos, programas de televisão, filmes, revistas, livros e conversas. Eu vou praticar o retorno ao momento presente para entrar em contato com os elementos refrescantes, curativos e nutritivos dentro de mim e ao meu redor, sem deixar que arrependimentos ou pesares me arrastem de volta ao passado, nem que ansiedades, medos ou cobiças me afastem do momento presente. Estou determinado a não tentar mascarar a solidão, ansiedade ou outros sofrimentos por trás de um consumo abusivo. Vou contemplar a ligação entre os seres e consumir de forma a preservar paz, alegria e bem-estar no meu corpo e consciência, e no corpo e consciência coletivos da minha família, da minha sociedade e da Terra.

O seu local de trabalho – escola, negócio ou empresa – deveria optar por adotar os cinco treinamentos de plena consciência como base para a ética de trabalho. Você também pode praticar esses treinamentos sozinho, ou com a sua família. Todos os treinamentos são fundamentados no *insight* da ligação entre os seres. A ligação entre os seres significa que nada pode existir isoladamente. Tudo está ligado a todo o resto; tudo está contido em todo o resto. Tudo é interligado. Você existe junto com todo o resto, e é interligado com todo o resto.

Imagine que está observando atentamente uma rosa. Com alguma concentração e plena consciência, você pode ver que a rosa é feita apenas de elementos que não são uma rosa. O que você vê na rosa? Pode ver uma nuvem, pois sabe que se não houvesse nuvens não haveria chuva, e sem a chuva a rosa não cresceria. Então a nuvem é um elemento não rosa que podemos reconhecer se observamos a rosa com atenção. Em seguida, podemos ver a luz do Sol, que também é essencial para que a rosa cresça. A luz do Sol é outro elemento não rosa que está presente na rosa. Se você removesse a luz do Sol e a nuvem da rosa, não sobraria nada. Se continuar agindo dessa maneira, poderá ver muitos outros elementos não rosa dentro da rosa, incluindo os minerais, o solo, o fazendeiro, o jardineiro, e assim por diante. Todo o cosmos se uniu para produzir a maravilha que chamamos de rosa. A rosa não pode existir isoladamente. Ela precisa coexistir com o cosmos inteiro. Este é o *insight* que chamamos de ligação entre os seres.

A felicidade também é um tipo de rosa. A felicidade é feita exclusivamente de elementos que não são felicidade. Se você tentar se desfazer de todos os elementos não felicidade –

como sofrimento, dor, preocupação, desespero – nunca vai ter felicidade. De forma similar, quando você planta flores de lótus, precisa usar lama. Olhando atentamente para a flor de lótus, você pode ver a lama. Não é possível plantar lótus no mármore. Um lótus é feito apenas de elementos que não são lótus – como a lama –, assim como a felicidade é feita de elementos que não são felicidade. Esta é a natureza da ligação entre os seres. Tudo está dentro de todo o resto. Não podemos tentar manter uma coisa e nos livrar de outra, pois elas existem uma na outra.

A felicidade não é uma questão individual. A felicidade de uma pessoa, se for felicidade verdadeira, terá um efeito sobre as outras pessoas, assim como uma árvore pode ter efeitos benéficos sobre o mundo ao seu redor. Se a árvore é saudável, ereta e bela, mesmo que não faça nada, o fato de ela estar ali, bela e saudável, pode beneficiar o mundo inteiro. O mesmo vale para pessoas. Se alguém é feliz, essa felicidade pode beneficiar a todos os que estão ao seu redor. É por isso que eu penso em felicidade como uma questão de ambiente de trabalho. A nossa felicidade afeta nosso trabalho e aqueles ao nosso redor. Não somos separados uns dos outros.

Qualquer que seja o seu emprego, talvez seja útil passar um tempo em grupo refletindo sobre como gerar felicidade verdadeira no trabalho. Devemos nos perguntar: "O que é felicidade verdadeira?" Quando não há um senso de comunidade, de trabalhar com harmonia em equipe para o bem de todos, também não haverá felicidade, mesmo se você tiver muito poder ou muito dinheiro. Quando compreendemos isso, podemos refletir, enquanto um grupo de pessoas que trabalham juntas, sobre como desempenhar o nosso trabalho e conduzir o nosso negócio de forma que felicidade, paz e amor verdadeiros sejam possíveis em nossa vida cotidiana.

Nós temos o suficiente

Talvez você tenha um emprego que ache prazeroso, mas sinta que as pessoas com quem trabalha são difíceis. Ou então, pode ser que você sinta que o seu trabalho não é benéfico para você, para as outras pessoas ou para o meio ambiente, mas tenha uma boa razão para continuar no emprego, ao menos por enquanto. Qualquer que seja a sua situação, você já pode ter felicidade no trabalho, agora mesmo. Não precisa esperar pelo futuro. A sua respiração plenamente consciente, a atenção aos passos e uma comunidade crescente de prática podem ajudá-lo a gerar essa felicidade.

Nós costumamos acreditar que a nossa vida não tem condições para a felicidade suficientes para sermos felizes. Tentamos especular sobre o futuro, em busca de mais condições para a felicidade. Mas voltando ao lar do aqui e agora, com plena consciência, e reconhecendo as condições para a felicidade e alegria que já existem, podemos descobrir que já temos mais do que o suficiente para sermos felizes e alegres agora mesmo.

Se você não estiver ciente da luz do Sol, sempre viverá no escuro. A plena consciência vai ajudá-lo a ver que a luz do Sol está presente! Que maravilha. Existem colinas, aves e árvores. O nosso planeta é lindo. A plena consciência me ajuda a perceber que tenho um corpo. Eu estou vivo. Posso enxergar. Tenho pulmões, e posso respirar. As minhas pernas e pés são fortes o suficiente para que eu possa andar e correr. Existem tantas condições para a felicidade. Se tentássemos escrever todas as condições para a felicidade que já temos, uma página não bastaria, duas páginas não bastariam, dez páginas não bastariam. Temos mais do que o suficiente para sermos felizes.

Três métodos para fomentar felicidade

Existem muitas maneiras de fomentar a felicidade, em casa e no trabalho. O primeiro método para fomentar felicidade é olhar e ver que em nossos corpos, e ao nosso redor, já existem muitas condições para a felicidade. Temos olhos que enxergam, ouvidos que escutam, e corpos que ainda funcionam. Ao nosso redor há o ar que podemos respirar, um lindo céu – precisamos apenas estar verdadeiramente presentes no aqui e agora para ver tudo isso. Reconhecer as muitas condições para a felicidade que já existem é uma forma de gerar felicidade.

O segundo método para fomentar felicidade consiste em comparar a nossa situação atual com situações passadas de infelicidade. Todos nós já vivemos momentos em que tivemos dificuldades ou sofremos profundamente, como no caso da morte de um ente querido, ou quando nós ou alguém que amamos teve um acidente ou doença séria. Nessas ocasiões nós sofremos tanto que fica muito difícil sentir ou criar felicidade. Embora esses eventos tenham ocorrido no passado, as memórias permanecem: mantemos as imagens vivas dentro de nós. Se pudermos conjurar essas imagens agora, e compará-las com o momento presente, conseguimos ver com muita clareza que a nossa situação atual é muito melhor. Com essa consciência, a felicidade surge rapidamente.

Se pegarmos um caderno de capa azul, por exemplo, e colocarmos um pedaço de papel branco um pouco menor em cima, podemos ver o contraste das cores. O caderno azul representa o nosso sofrimento passado, enquanto o pedaço de papel branco é a nossa felicidade atual. Quando comparamos ambos, conseguimos ver a diferença com muita clareza, e o branco parece muito mais branco – mais branco que branco. Em comparação com os nossos sofrimentos passados, podemos ver as condições preciosas para a felicidade que temos agora. Comparar a situação atual com outras, do passado, deixa a nossa felicidade ainda mais reluzente.

O terceiro método para fomentar felicidade é manter-se focado no momento presente e praticar a arte de conviver com a alegria e com o sofrimento, aceitando e acolhendo o sofrimento, sem lutar contra ele ou tentar reprimi-lo. Se já enfrentamos muitos sofrimentos no passado, criamos o hábito de nos apegar ao sofrimento, à dor e às dificuldades. Mas podemos nos lembrar de não viver naquele passado. Se o sofrimento surgir, seja porque estamos pensando sobre o passado ou porque há sofrimento real em nosso presente, não precisamos nos apegar a ele. Podemos usar a plena consciência para reconhecer o sofrimento e avisá-lo: "Eu sei que você está aí, e eu estou aqui para você". Apenas dizendo isso, já reduzimos o sofrimento. O nosso sofrimento é acolhido e acalmado, e de repente surge espaço para alegria. Precisamos acolher o sofrimento com carinho, como uma mãe abraçando e reconfortando seu bebê quando ele chora. Quando a mãe entrega toda a sua atenção ao bebê, ele se acalma. Não lute contra o sofrimento, apenas o reconheça e acolha. Isso pode gerar alegria e felicidade.

Com esses três métodos para fomentar a felicidade, nós sabemos que a felicidade é possível, mesmo no trabalho. Podemos abrir mão das preocupações e nossas mentes ganham mais clareza e leveza. Conseguimos focar nas intenções que temos para o dia. Não estamos presos ao medo, raiva ou sofrimento, e podemos dar andamento ao desejo de fazer bem o nosso trabalho, de fazer um bom trabalho que beneficie a nós mesmos e ao planeta.

Sustento Correto

O Buda falou do Sustento Correto como sendo um dos oito fatores que levam à felicidade. Como podemos saber se estamos praticando o Sustento Correto? Praticar o Sustento Correto significa engajar-se em um trabalho que fomente os nossos ideais de compaixão e compreensão. Nós tentamos fazer escolhas que tragam o maior benefício e causem o menor dano possível para nós e para os outros, e também para os animais, plantas e todo o planeta. Mesmo que isso signifique ter um emprego que renda menos dinheiro do que poderíamos ganhar, pode produzir muita felicidade. O Sustento Correto é uma questão de ética e de como produzir bem-estar, não apenas para nós mesmos, mas para todos aqueles que são afetados pelo nosso trabalho – direta ou indiretamente.

A forma como você conduz a sua vida, o trabalho que você faz e a forma como o faz contribuem para um despertar coletivo das outras pessoas e da sociedade como um todo. Nós precisamos de um despertar coletivo para que um futuro na Terra seja possível. Você pode se perguntar como o seu trabalho ajuda outras pessoas. Se estiver motivado pelo desejo de ajudar outros, você terá muito mais alegria e energia para trabalhar. Nada se compara à alegria de saber que a sua contribuição à vida na Terra é bela e útil.

É importante sabermos como fomentar a nossa felicidade, e o tipo de trabalho que escolhemos fazer é um fator significativo. Muitas das indústrias modernas são prejudiciais para os humanos e a natureza; é muito difícil praticar o Sustento Correto. Se não prestarmos atenção ao que estamos fazendo, podemos causar muito dano. A produção de comida é um bom exemplo. Se uma pessoa trabalha com agricultura comercial, pode sentir que está beneficiando os outros ao ajudar a plantar comida para as pessoas se alimentarem. Mas se a fazenda em que ela trabalha usa venenos químicos, trabalhar ali pode estar prejudicando os seres humanos e o meio ambiente. Se um fazendeiro tenta respeitar o meio ambiente recusando-se a usar tais produtos químicos, talvez fique difícil competir no mercado, e sobreviver financeiramente pode se tornar um esforço. Se o fazendeiro for bem-sucedido em administrar uma fazenda orgânica de maneira lucrativa, talvez ainda seja difícil produzir comida realmente saudável enquanto as fazendas vizinhas continuam usando pesticidas e fertilizantes químicos, que poluem o ar, a terra e a água. Todos nós estamos conectados, e nosso trabalho tem efeitos extensos. O Sustento Correto não é uma questão apenas pessoal. As nossas escolhas profissionais não afetam apenas a nós mesmos e as nossas famílias; elas afetam as escolhas e a saúde dos nossos vizinhos, e de todas as pessoas ao redor do globo.

A dimensão espiritual do trabalho

Certa vez, um cavalheiro dirigindo um carro muito luxuoso veio me ver. Ele me disse que era responsável por projetar ogivas nucleares. Sua consciência estava muito perturbada pelo tipo de trabalho que fazia, mas ele se sentia responsável por sustentar a família financeiramente e não achava que podia pedir demissão. Apesar do trabalho potencialmente destrutivo que estava fazendo, esse engenheiro tinha uma consciência. Ele estava ciente do que estava fazendo. O mundo precisa de pessoas plenamente conscientes assim trabalhando em empregos desse tipo. Se esse homem pedisse demissão, outra pessoa com menos consciência das consequências potencialmente negativas de seu trabalho poderia substituí-lo, o que seria pior. No entanto, se ele quisesse encontrar uma maneira de impedir as pessoas de fazer esse tipo de trabalho de uma vez por todas, essa seria a melhor solução. Se ninguém estivesse disposto a projetar ogivas nucleares, elas não continuariam sendo produzidas e usadas. Nosso engenheiro sabia que, se quisesse desfrutar de um senso de paz trazido pela prática do Sustento Correto, ele não poderia continuar em seu trabalho atual pelo resto da vida; ele precisaria encontrar outra forma de trabalho, e caminhar em outra direção.

Por mais exigente que o nosso emprego possa ser – independente de trabalharmos como policiais, médicos de emergência, *designers*, engenheiros de software, cientistas ou professores, todos podemos nos tornar bodhisattvas, desempenhando a função com atenção e compreensão. O advogado pode praticar olhar com atenção e compaixão, transformando a prática de direito em uma vocação na qual compreensão e reconciliação sejam cultivadas. Dessa forma o seu trabalho promoverá cura, em vez de focar nos conflitos e confrontos. Um advogado pode observar com tanta atenção o seu trabalho ajudando clientes que transformação, reconciliação e cura tornem-se possíveis. É claro que o advogado precisa representar seu cliente e argumentar bem o caso; mas também pode falar com sinceridade e compartilhar os seus *insights*, para ajudar o cliente a compreender o ponto de vista do outro lado. Quando um advogado se expressa na corte, ele pode regar as sementes de compreensão e compaixão nos corações de todos, inclusive do juiz. Isso é muito importante. Esse tipo de prática será percebido e apreciado por muitas pessoas.

Um político plenamente consciente também pode agir de acordo com sua consciência e *insight* independentes. Ele é capaz de votar com plena consciência, talvez mesmo em discordância com o próprio partido. Ao demonstrar honestidade e boa vontade ele será compreendido pelos outros membros do partido, e desfrutará do apoio popular. Então é muito importante trazer a dimensão da prática, uma dimensão espiritual, para o seu trabalho. Nós precisamos de pessoas assim neste mundo.

Corresponsabilidade

Independentemente do tipo de trabalho que você faz, o seu desempenho representa a nós todos; você está atuando em nosso nome. Nós somos corresponsáveis pelos seus atos, e todos vamos sofrer se o seu trabalho não for bom, seja para os seres vivos, ou para o planeta como um todo. Se você sente que precisa continuar em um emprego que não traz saúde, pode fazê-lo com plena consciência. Se continuar praticando a plena consciência, eventualmente você ganhará mais *insight*, e isso o ajudará a melhorar a sua situação de trabalho atual ou a deixar o seu emprego e encontrar outro, mais saudável. Perceba a sua compaixão e a cultive. Não se torne uma máquina, agindo no piloto automático – permaneça humano, e mantenha a sua compaixão viva.

Imagine que eu sou um professor de escola que consegue encontrar alegria no trabalho, fomentando amor e compreensão nas crianças. Eu protestaria se alguém me pedisse para parar de ensinar e virar um açougueiro, por exemplo. No entanto, quando medito acerca da inter-relação entre todas as coisas, posso ver que o açougueiro não é a única pessoa responsável pela morte de animais. Ele faz o seu trabalho em nome de todos nós, que comemos carne. Nós somos corresponsáveis pelo seu ato de matança. Podemos pensar que a forma de sustento do açougueiro é errada e a nossa é correta, mas se não comêssemos carne, ele não teria de matar, ou então mataria menos animais. O Sustento Correto é uma questão coletiva. O sustento de cada pessoa afeta a todos nós, e vice-versa. Os filhos do açougueiro podem se beneficiar dos meus ensinamentos sobre respeitar e preservar a vida, enquanto os meus filhos, caso eles comam carne, compartilham a responsabilidade pelas consequências da escolha de sustento do açougueiro.

Qualquer consideração acerca do Sustento Correto implica mais do que apenas examinar as condições através das quais recebemos um salário. As nossas vidas e sociedades inteiras estão intrinsecamente ligadas. Tudo o que fazemos contribui para o nosso esforço de praticar o Sustento Correto, e nunca conquistaremos um sucesso completo até que todos sigam juntos na mesma direção. Mas cada um de nós pode decidir seguir na direção da compaixão, na direção de reduzir o sofrimento que há no mundo. Cada um de nós pode decidir trabalhar por uma sociedade na qual exista mais compreensão, amor e compaixão.

Milhões de pessoas, por exemplo, ganham seu sustento trabalhando na indústria bélica, ajudando direta ou indiretamente a fabricar armas tanto "convencionais" como nucleares. Os Estados Unidos, Rússia, França, Grã-Bretanha, China e Alemanha são os principais fornecedores dessas armas. As chamadas armas convencionais, então, são vendidas para países mais pobres, onde as pessoas não precisam de armas, tanques ou bombas; elas precisam de comida. Fabricar ou vender armas não é uma forma de Sustento Correto, mas a responsabilidade por essa situação jaz com todos nós – políticos, economistas e consumidores. Todos compartilhamos responsabilidade pela morte e destruição que essas armas causam. Se você pode trabalhar em uma profissão que o ajuda a atingir seu ideal de compaixão, por favor, sinta-se grato. Por favor, tente ajudar a criar empregos adequados para as outras pessoas. Viva com plena consciência, simplicidade e sensatez.

Existe uma cultura tão forte de exploração e destruição da Terra, que acaba sendo desafiador encontrar um tipo de trabalho que seja completamente adequado, sem nenhuma causa para ressalva moral. Isso exige tempo, uma intenção firme, e uma aspiração profunda. Não se desespere nem desista caso ainda não esteja em uma posição a partir da qual sinta que pode praticar o sustento 100% correto. Você pode seguir na direção do Sustento Correto e fazer o trabalho que tem hoje com plena consciência e compaixão. Seja qual for o emprego que você tem agora, seja ele a sua verdadeira vocação ou apenas uma situação temporária até que possa encontrar algo melhor, você sempre pode encontrar uma maneira de criar mais bem-estar no trabalho.

Um despertar coletivo

Independentemente do emprego que temos, parte do nosso trabalho é ajudar a gerar uma cura coletiva, transformação e despertar, para o nosso próprio bem-estar e para o bem do nosso planeta. O *insight* da ligação entre os seres pode nos ajudar com isso, mas precisamos de um despertar coletivo. Cada um de nós precisa trabalhar para produzir esse despertar coletivo. Se você for um jornalista, pode fazer isso através do jornalismo. Se for um professor, pode fazer isso como professor. Sem esse despertar, nada irá mudar. Despertar e consciência são os fundamentos de todas as mudanças. Cada um de nós precisa sentar-se e observar com atenção para ver o que podemos ser, o que podemos fazer hoje para ajudar a aliviar o sofrimento ao nosso redor, ajudar a reduzir o estresse, e trazer mais alegria e felicidade. Podemos fazer isso sozinhos ou com um grupo de pessoas, com os nossos colegas ou a nossa família. Existe tanto sofrimento no mundo, mas, ao mesmo tempo, existe potencial para muita alegria. Ao viver a sua vida com consciência, produzindo a sua própria obra de arte, você pode contribuir para o trabalho do despertar coletivo.

Todo ser humano é capaz de compreensão e amor. Todos carregam a semente de um amor imenso dentro de si. Existe uma história budista sobre um bodhisattva cujo nome era Nunca Denegrir. Seu único trabalho era caminhar, dizendo às pessoas: "Eu não me atrevo a subestimá-lo. Você tem a capacidade de se tornar um Buda, uma pessoa com grande consciência e compaixão". Essa era sua única mensagem. Ele fez um voto de ir a todas as pessoas – ricas, pobres, educadas, menos educadas – e sempre dizia a mesma coisa. Às vezes as pessoas pensavam que ele estava tirando sarro delas. Às vezes batiam nele. Mas ele persistia. "É nisso que eu acredito. Eu quero trazer a mensagem de que você é capaz de se tornar um Buda. Todos são capazes de compreensão e amor."

Mas um Buda não é o suficiente. Nós precisamos de outros, mesmo se forem apenas budas de meio período. Quando vivemos as nossas vidas com consciência, transformamos a vida daqueles ao nosso redor naturalmente, sem esforço. Podemos começar construindo uma comunidade coletiva de praticantes que possa nos apoiar quando passarmos por tempos difíceis. A energia coletiva da plena consciência é muito poderosa. Quando nos cercamos de pessoas que também estão praticando a plena consciência, somos beneficiados pela energia delas. É como permitir que a água no rio seja acolhida pelo oceano.

Criando uma comunidade no trabalho

Depois de praticar a plena consciência no trabalho por um tempo, veja se existem outras pessoas interessadas em praticar a respiração, a caminhada e o sentar-se plenamente consciente com você. Se puder cercar-se de pessoas que estão praticando plena consciência juntas, todos vocês receberão o apoio da energia coletiva, e a prática se tornará muito fácil, muito natural.

Mesmo se, de início, você não conseguir encontrar colegas para acompanhá-lo na prática, a sua prática individual terá um efeito benéfico sobre aqueles ao seu redor e sobre todo o ambiente de trabalho. Quanto mais você praticar a plena consciência, mais capacidade terá de alterar o seu ambiente de trabalho positivamente. Todos nós somos capazes de contribuir para a energia coletiva da plena consciência. A sua prática de respiração e caminhada plenamente consciente vai ajudar aqueles ao seu redor. Quando praticamos a respiração e a caminhada plenamente consciente, podemos nos tornar um sino de plena consciência para todos. Ao caminhar com plena consciência, desfrutando cada passo que dá, você encoraja outros a caminharem da mesma forma, mesmo se não souberem que você está praticando plena consciência. Quando você sorri, o seu sorriso ajuda todos os que estão ao seu redor, e eles se lembram de sorrir também. A presença que você tem quando pratica é muito importante.

Quando você está sozinho e não tem a energia coletiva da sua comunidade, ainda assim precisa praticar, pois dessa forma consegue se proteger das emoções fortes, da violência e da raiva dos outros. E você também deve praticar para se proteger de acidentes, da sua própria falta de habilidade, e da sua própria raiva. Se você derrama algo, tropeça, se machuca ou desconta sua raiva em alguém, todos esses acidentes vêm de não praticar plena consciência o suficiente. Se você tiver paz e lucidez, não vai atrair acidentes.

Todos precisam de uma Sangha

Todos passamos por dificuldades no trabalho de vez em quando. Todos carregamos dor, pesar e medo dentro de nós. Mas não precisamos lidar com isso sozinhos – podemos encontrar uma comunidade para praticar em conjunto, e deixar que a comunidade acolha essas dificuldades. Nenhum de nós é forte o bastante para acolher as próprias dores e sofrimentos sozinho.

Quando você joga uma pedra no rio, não importa quão pequena for a pedra, ela vai afundar até o fundo do rio. Mas se você tiver um barco, pode carregar muitas toneladas de pedras e elas não vão afundar. O mesmo vale para o nosso sofrimento: os nossos pesares, medos, preocupações e dores são como pedras, que podem ser carregadas. Quando permitimos que a comunidade e a energia coletiva da plena consciência nos acolha, não afundamos no oceano do sofrimento. A nossa dor e sofrimento se tornam mais leves. Sim, podemos praticar a plena consciência sozinhos, mas é muito mais fácil e solidário ter uma comunidade com a qual praticar. Quando muitas pessoas praticam a plena consciência juntas, a energia coletiva é muito mais forte, e isso nos ajuda a fazer o trabalho de transformação e cura do qual todos precisamos. Sem essa energia coletiva, somos propensos a perder contato com a nossa prática e, eventualmente, abandoná-la. Se você quer continuar praticando, é uma boa ideia juntar um grupo de pessoas ao seu redor para que vocês pratiquem juntos, pois então a sua prática será sustentada pela energia coletiva do grupo.

Quando sabemos que estamos caminhando na direção correta, isso já é o bastante. A meta não é fazer tudo com perfeição, e sim fazer progressos consistentes no caminho certo. Se a sua situação ou emprego atuais o estão forçando a continuar vivendo de maneira que vai contra o espírito do Sustento Correto, você pode considerar isso como sendo um contexto temporário, até que encontre um emprego diferente, menos estressante, que o possibilite ter uma vida melhor e mais simples, sem prejudicar pessoas ou a natureza.

No meio-tempo, há algumas coisas que podem ser feitas. Você pode praticar a plena consciência todos os dias, e cultivar a compaixão dento de si mesmo. Você pode introduzir práticas seculares de plena consciência em seu ambiente de trabalho. Ter um bom emprego é importante. Mas ser honesto, viver com paz e ter um caminho a seguir é mais importante. Não importa o tipo de trabalho que você faz, a plena consciência pode ajudá-lo a seguir um caminho que conduza ao Sustento Correto e a uma vida de mais alegria, felicidade, compaixão e compreensão. Se pudermos trabalhar de forma a encorajar esse tipo de pensamento e atitude, um futuro será possível para nós mesmos, para os nossos filhos, os filhos deles e todo o planeta.

6
Maneiras de reduzir o estresse no trabalho

Comece o dia com dez minutos de meditação na posição sentada.

* * *

Lembre-se de sentir gratidão por estar vivo, e por ter vinte e quatro horas completamente novas para viver.

* * *

Separe um tempo para tomar o café da manhã em casa. Sente-se e aprecie o desjejum.

* * *

Ao final do dia, mantenha um registro de todas as coisas boas que aconteceram no seu dia. Regue as suas sementes de alegria e gratidão com frequência, para que elas possam crescer.

* * *

Use as escadas no trabalho, ao invés do elevador, e suba os degraus com plena consciência, combinando cada passo com a sua respiração.

* * *

Use o tempo que passa aguardando no ponto de ônibus ou na estação de trem como uma oportunidade para praticar a meditação na posição sentada, ou a meditação andando lenta, acompanhando a sua respiração e apreciando não ter nada para fazer, e nenhum lugar para ir.

* * *

Desligue o celular enquanto está no carro, no caminho para o trabalho, ou durante os intervalos.

* * *

Resista à tentação de fazer ligações pelo celular no caminho do trabalho ou de algum compromisso. Permita-se esse tempo para ficar apenas consigo mesmo, com a natureza e com o mundo ao seu redor.

* * *

Use os faróis vermelhos como sinos de plena consciência, convidando-o a interromper os seus pensamentos, reduzir a velocidade, e repousar no momento presente. Perceba qualquer tensão que pode haver no corpo enquanto você dirige, ou qualquer irritação, raiva ou frustração, e tente relaxar voltando para a sua respiração. Relaxe os ombros, o rosto e o maxilar. Não tente alterar a sua respiração, apenas a acompanhe.

* * *

Prepare um espaço para respirar no trabalho, que você possa usar para se acalmar, parar e descansar um pouco. Se não tiver um espaço próprio, pode decorar um canto da sua mesa com flores e um pequeno sino, para ser usado sempre que você sentir estresse. Faça intervalos regulares para respirar e voltar ao seu corpo, trazendo os pensamentos de volta ao momento presente.

* * *

Faça o *download* de um "sino da plena consciência" no seu computador e o programe para soar a cada quinze minutos, como um lembrete de fazer intervalos para respirar e alongar o corpo, soltando a tensão. Você pode fazer o *download* de um sino destes no site www.mindfulnessdc.org/mindfulclock.html

* * *

Em vez de atender ao telefone com pressa sempre que ele tocar, inspire e expire três vezes para garantir que estará realmente presente para quem quer que esteja ligando. Talvez você possa pôr a mão no telefone enquanto faz isso, para sinalizar aos seus colegas que pretende atender, apenas não está com pressa.

* * *

Crie o hábito de praticar o relaxamento completo de cinco a dez minutos todos os dias, em um canto do seu escritório, ou algum espaço calmo no trabalho onde você possa deitar, ou mesmo no parque, se for um dia ensolarado. Faça um escaneamento corporal e relaxe todos os músculos no seu corpo, enviando amor para todos os órgãos e agradecendo-os pelo trabalho que eles passaram o dia fazendo. Essa prática pode ser muito renovadora sem demandar muito tempo. Você vai se sentir muito mais descansado, em paz e restaurado depois disso, e o seu trabalho terá mais qualidade.

* * *

No horário do almoço coma apenas seu alimento, e não os seus medos ou preocupações.

* * *

Se você lava a louça depois da refeição, ou a sua xícara de café depois do intervalo, foque toda a sua atenção no ato de lavar a louça ou a xícara. Você pode recitar o gatha para lavar a louça, ou então criar o seu próprio gatha. Leve a sua atenção para a água quente e ensaboada, aprecie o tempo que passa com as mãos na água, tenha prazer com o ato de limpar os pratos ou a xícara de café. Faça isso em silêncio, sem falar, focando toda a atenção no que está fazendo e permitindo-se aproveitar este pequeno intervalo durante o qual você não precisa falar, nem fazer qualquer outra coisa. Você pode avisar a sua família ou os colegas que não quer ser interrompido durante esse tempo, e convidá-los a também apreciar esta prática. Desfrute do momento presente e do ato de lavar a louça, apenas por lavar.

* * *

Transforme o momento de tomar chá em um ritual. Pare de trabalhar e olhe com atenção para o chá, tentando ver todas as coisas que ajudaram a criá-lo: as nuvens e a chuva, as plantações de chá e os trabalhadores que o colheram. Cultive a sua gratidão apreciando todo o amor e trabalho duro que foram investidos para levar este chá até você. Saboreie o momento de desfrutar o seu chá.

* * *

Deixe o carro em casa um dia por semana e pegue carona, use o transporte público ou vá de bicicleta ao trabalho. Aprecie o passeio de ônibus, ou o ar fresco em seu rosto enquanto pedala até o trabalho. Sinta a força do seu corpo e a sua gratidão por ter um corpo tão saudável.

* * *

Tente não dividir o seu tempo entre "meu tempo" e "tempo do trabalho". Você pode ter todo o tempo para você se ficar no momento presente, mantendo contato com o que está ocorrendo em seu corpo e mente. Não há nenhuma razão pela qual o seu tempo no trabalho deva ser menos agradável do que o seu tempo em qualquer outro lugar.

* * *

Faça do seu ambiente de trabalho um lugar mais tranquilo e alegre criando momentos e espaços para a calma, trabalhando de maneira colaborativa com os outros e produzindo um senso de comunidade no trabalho.

* * *

Antes de ir a uma reunião, visualize a companhia de uma pessoa muito calma, habilidosa e plenamente consciente. Tome refúgio nessa pessoa – mesmo se for apenas uma figura imaginária – para ajudá-lo a ficar calmo e tranquilo durante a reunião.

* * *

Caso você sinta emoções fortes surgindo durante uma reunião, faça um intervalo breve para ir ao banheiro e pratique a meditação andando. Aproveite o tempo que tem no banheiro. Lembre-se que o seu tempo aqui não é menos importante do que o tempo que você passa no trabalho.

* * *

Caso você sinta raiva ou irritação surgindo no trabalho, abstenha-se de dizer ou fazer qualquer coisa. Volte para a sua respiração e acompanhe a inspiração e a expiração até sentir que está mais calmo. A meditação andando pode ser útil. Reconheça os seus sentimentos. Diga: "Olá, minha raiva, minha irritação. Eu sei que você está aí. Eu vou cuidar bem de você".

* * *

Pratique olhar para o seu chefe, os seus superiores, colegas e subordinados como sendo aliados, e não inimigos. Reconheça que trabalhar em colaboração traz mais satisfação e alegria do que trabalhar sozinho. Sempre que for possível, trabalhe em equipe. Saiba que o sucesso e a felicidade de todos são o seu sucesso e felicidade.

* * *

Tente relaxar e renovar a energia antes de ir para casa, assim você evita que energias negativas ou frustrações acumuladas sigam você do trabalho. Caminhe de volta para casa em plena consciência, seja da parada de ônibus ou do ponto onde você estacionou o carro. Separe um tempo para relaxar e voltar a si mesmo quando chegar em casa, antes de começar a cuidar das tarefas domésticas. Reconheça que fazer muitas coisas ao mesmo tempo significa que você nunca está completamente presente para nenhuma dessas coisas! Faça uma coisa por vez e use toda a sua atenção ao fazê-lo. Pratique fazer uma coisa por vez!

* * *

Evite trabalhar ou falar e comer ao mesmo tempo. Faça um ou o outro, de forma a estar completamente presente, seja para a sua comida, para os seus colegas ou para o seu trabalho.

* * *

Não almoce na sua mesa de trabalho. Mude de ambiente. Saia para dar uma caminhada.

* * *

Pratique focar nos aspectos positivos do seu trabalho e dos seus colegas. Expresse com frequência a gratidão e apreço que tem por suas boas qualidades e boas ações. Isso vai transformar o ambiente de trabalho inteiro, tornando-o muito mais harmonioso e agradável para todos.

* * *

Comece um grupo de meditação no trabalho e sente-se com os colegas para praticar algumas vezes por semana, ou então junte-se a uma Sangha local.